日本で唯一不動産を学べる
明海大学不動産学部が作っ

はじめてでも **わかる！**

ゼロから宅建士スタートブック

2025年版

明海大学 不動産学部 編著

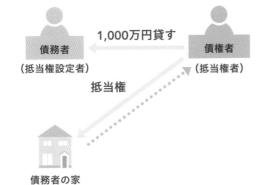

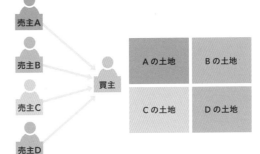

住宅新報出版

ようこそ！
宅建士試験の世界へ

　宅建士試験に興味を持ったものの「難しい試験なのでは？」「自分には無理じゃないかな」と思っている方も、多いのではないでしょうか。そんな方の不安を解消し、合格へと導くのがこの本、『ゼロから宅建士 スタートブック』です。

　この『ゼロから宅建士 スタートブック』では、試験の概要、勉強法、資格の活用とステップアップなど皆さんの疑問に答えるさまざまなコンテンツを用意しています。さらに、明海大学不動産学部の教員4人による紙上講義で基本的な知識を習得することもできます。この本1冊だけで合格、というのはさすがに難しいでしょうが、皆さんの合格に向けて力強いサポーターとなるはずです。

　宅建士試験は難易度が高い試験ですが、それだけに合格すると就職、転職活動でも高い評価を受けます。また、難しいとはいっても勉強法さえ間違えなければ、他の勉強や部活をしながらでも、今の会社に勤務しながらでも合格できる資格です（司法試験や公認会計士の試験とは違います）。大変だけれど、頑張れば手が届く、有意義な資格。それが宅建士なのです。

　この本を手に取った皆さんもぜひ宅建士試験にチャレンジしてください。得られるものは大きいですよ。一緒に頑張りましょう！

2024年10月

執筆者一同

執筆した先生の紹介

チャレンジする価値の
ある資格です。
一緒に頑張りましょう

中村 喜久夫先生

明海大学不動産学部教授、不動産鑑定士。人気テキスト『スッキリわかる宅建士』シリーズ(TAC出版)の著者。宅建士法定講習の講師、全宅連の「不動産キャリアパーソン」の講師も務めている。

「継続は力なり」
最後まであきらめないで、
全員合格です!

片川 卓也先生

明海大学不動産学部非常勤講師。長年にわたり大手不動産会社、大手金融機関での実務経験を経て、現在は社会人の学びの支援など社会教育に尽力している。大手資格予備校、企業研修等にて宅建士指導経験は10年以上。登録実務講習、登録講習(5問免除)の講師も担当。不動産系資格取得の指導に精通している。

一人で開業、
あなたも社長に
なれますよ!!

島本 昌和先生

明海大学不動産学部・経済学部非常勤講師。大学院生時代に建売住宅を専門とする不動産会社でのアルバイトをきっかけに、不動産業界へ。大学院修了後は宅建業、教育事業を起業。実務の経験(裏話?)を交えた講義が好評。講師経験は25年に及び指導した受講生は1万人を超える。

特典 1 電子版(PDF)ベーシックブックダウンロードの方法

①ダウンロードサイトにアクセス!

https://www.jssbook.com/book/b10088029.html

こちらからも▶
アクセス
できます

②パスワードを入れる パスワード 0052

ご注意ください!

- PDFファイルをご覧いただくには、アドビシステムズ社が配布しているAdobe Acrobat Reader(無償)が必要です。
- ダウンロードに必要な通信費はお客様負担となります。
- 無料ダウンロード特典のご利用は、2024年11月下旬〜2025年10月末日までとなります。
- ダウンロード版に掲載されている文章、写真、イラスト等著作物は、著作権法上認められた範囲内において使用する場合を除き、当社に許諾なく複製、公衆送信翻案等利用することを禁じます。

ゼロから宅建士 スタートブックの特徴

宅建業には免許が必要

宅建業を営むには免許が必要です。宅地や建物は高額ですから、素人に扱わせるわけにはいきません。プロフェッショナル、つまり宅建業免許を受けた人（または会社）だけが宅建業を営むことができます。

重要な部分を黄色でマーク！

特に重要な部分については一目でわかるよう、黄色でマークをしています。

POINT 1
売主には免許が必要 貸主には不要

宅建業（宅地建物取引業）とはどういう行為をいうのでしょう。例えば、ある人が総戸数10戸のマンションを建てたとします。このマンションを10人の人に売る場合には**宅建業免許**が必要となります。**売主は免許**を受けないといけないのです。ところがこのマンションを10人に貸す場合には免許は不要です。賃貸マンションの**貸主**（大家さん）になる**には免許は要らない**ということですね。「自ら転貸（また貸し）」の場合も、免許は不要です。

POINT 2
媒介や代理にも 免許が必要

媒介や**代理**というのは、他人が所有する宅地建物の売買や貸借のお手伝いをすることです。どちらも宅建業免許がなければ行うことができません。媒介のことは仲介ともいいます。この言葉のほうがなじみ深いでしょうか。仲介会社とか、仲介手数料とか……。賃貸マンションの貸主に代わって入居者募集をする（媒介です）には免許が必要ということです。媒介は契約のお手伝いをするだけですが、代理は宅建業者が契約まで当事者に代わって行います。

3つのポイントに絞って解説！

はじめて勉強する人でもわかりやすいように、宅建士試験に必要な基礎知識を、3つのポイントに絞って、わかりやすくコンパクトにまとめています。

POINT 3
免許が必要なのは 「業」として行う場合のみ

POINT1・2で説明したように、売買や媒介・代理には免許が必要といっても、それはいろいろな人に対し何回も繰り返し行う場合の話です。皆さんが自分で住むためにマンションを買う、住み替えのために居住していた住宅を売る、といった場合には宅建業免許は不要です。**宅地建物の取引（売買や媒介・代理）を不特定多数に反復継続して行う場合に宅建業免許が必要**となります。

32

宅建士試験の勉強を
"ゼロ"からはじめる人に、
やさしくわかりやすい工夫をしています！

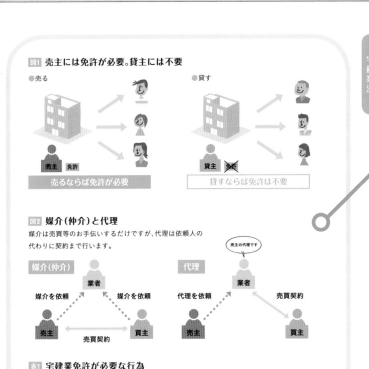

図1 売主には免許が必要。貸主には不要

●売る

●貸す

| 売主 | 免許 |

売るならば免許が必要

| 貸主 |

貸すならば免許は不要

図2 媒介（仲介）と代理

媒介は売買等のお手伝いするだけですが、代理は依頼人の
代わりに契約まで行います。

売主の代理です

媒介（仲介）

業者

媒介を依頼　　媒介を依頼

売主　　　　買主

売買契約

代理

業者

代理を依頼　　売買契約

売主　　　　買主

表1 宅建業免許が必要な行為

	売買（交換）	貸借
自ら	○	✕
代理	○	○
媒介	○	○

＊○がついている行為を「業として」行う場合には、宅建業免許が必要となります。

ワンポイントアドバイス

表の○印がついている行為でも国や地方公共団体（←都道府県や市町村
のこと）、信託銀行や信託会社が行う場合には免許は不要です。また、交換
と売買は同じ意味と思ってください。交換は、宅地建物を購入する際、お
金で代金を支払う代わりに別の宅地建物で代金を支払っているというこ
とです。

宅建業法

**図表で
理解が深まる！**

目で見て理解できるよう、
左ページで解説した内容を
もとに、イラストや表で解
説しています。

**勉強を進めるうえで
役立つ知識を紹介！**

ページ内での補足の情報や、
知っておくと役立つ知識を
紹介しています。

ゼロから宅建士
スタートブック

もくじ

宅建業法

法令上の制限

権利関係

税・その他

キ ャ ラ ク タ ー の 紹 介

まいまい先輩

宅建士の資格をもっている。不動産取引に詳しく、先生のアシスタントを務めている。

スズメちゃん

住まいに興味があり不動産学を学んでいる。宅建士試験の勉強をはじめたばかり。

かえるくん

実家の不動産屋を継ぐために、不動産学を学んでいる。宅建士を目指している。

たっけん先輩

宅建士の資格をもっている。不動産全般の知識が豊富で、先生のアシスタントを務めている。

なるほど！ 宅建士！

宅建士ってどんなことができる資格だろう、
どんな仕事で使えるのだろう、
何を勉強して、どんなふうに受験すればいいんだろう……。
そんな"宅建士に関するギモン"を全部明らかにします。
これさえ読めば、「なるほど！」とうなずけるはずです。

先輩、宅建士って
どんな資格か
教えてください！

興味があるの？

もちろんです！
将来は住まいに関わる
仕事がしたいなと思って
いるんです

わかった！
じゃ、解説するね

"宅建士"は「宅地建物取引士」のこと。

 を  することを  とするときに 必要な資格です。

宅地建物　　　　　　取引　　　　　　業

家やビルなどを建てる土地、そして家やビルなどの建物そのものを売買したり交換したり、
あるいは持ち主に代わって取引したり、仲介したりするときに必要となる資格です。
一般のお客さんが安心して不動産取引できるように、契約に関する重要業務を担います。

国家資格
なんだよ！

宅建士でなければできない仕事！

契約前には

重要事項説明書の交付・説明・記名

宅地や建物などを
買ったり借りようと
する人に、その現状
や所有者などを記し
た書類に記名して説
明します。

契約後には

契約書類への記名

代金などの契約内容
をまとめた書類に記
名します。

宅建士が活躍するのは、こんなとき！

部屋を借りる

住宅の買い替え

相続で土地の売却

宅地や建物の売買や賃貸の仲介を行う業者は、事務所ごとに従業者の5人に1人以上の割合で専任の宅建士を置かなくてはいけないんだ

へぇ！

不動産業以外でも役立つ資格です。

宅地や建物の取引は、不動産業界以外の業種が関わることがあります。どの会社でも企業活動をするための拠点（宅地や建物）を自社で持っているか、借りています。また事業を運営するうえで、土地を扱うことが少なくありません。

例えばスーパーマーケット。どこに、どんな規模の店を出すのかというときにも不動産に関する知識が必要になるんだ！

資格を持っていると、こんなメリットが！

就職に有利！

宅建士は不動産に関する法律などを学び、専門分野の知識も身につけます。不動産取引に関する一定のレベルの知識を身につけていることが高く評価されます。

独立開業できる！

宅地や建物の売買や仲介などを行う宅建業者として、独立開業への道が開けます。会社員としてではなく、自分で道を切り拓いていきたい人にはぴったりの資格のひとつ。

社会生活に役立つ！

住宅を買ったり借りたりするときに必ず役に立ちます。また、身につけた法律、経済、経営の知識は、仕事をするうえでも、生活の中でも力を発揮するでしょう。

こんな業種で使える！

わあ、すごい！

不動産業

不動産業には、不動産の分譲、仲介、管理、賃貸などがあります。宅建士はとくに分譲や仲介の場面で必須です。

建設業

建設業は土木工事や建築工事など多岐にわたり、宅地や建物に関する専門的な知識が求められます。

金融業

銀行をはじめとする金融機関では、宅地建物など不動産を担保に融資をします。その評価に不動産の専門知識は欠かせません。

流通業

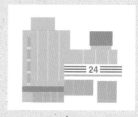

スーパー、コンビニエンスストアなどの店舗の立地戦略にも不動産の知識は必要です。

製造業

製造業では工場の建設が重要な課題。国内外で展開があります。また、所有する土地や建物の運用も大切です。

公務員

国や都道府県にとって街づくりや都市計画などは重要な仕事。こうした仕事には宅建士の資格が役に立ちます。

宅建士の資格がいらない業種を探すほうが大変かも……!?

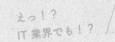

えっ!？
IT業界でも！？

企業サイトや情報サイトで不動産関連の企業や情報を扱うとき、不動産の知識が必要になる場合もあります。IT業界で働くにも、宅建士の資格があれば何かと有利かも！

受験するにはどうすればいいの？

受験資格

特になし。誰でも受験できる！

年齢、学歴、国籍などの制限はありません。

試験方法

四肢択一のマークシート方式

全部で50問（登録講習修了者は45問）。
解答はマークシート方式です。

スケジュール

※日程は原則です

\願書は都道府県別！/

申込みは
インターネットでも
郵送でもOK

7月 ●‥‥ 願書（郵送申込み）の配布

配布期間は7月1日〜7月中旬。大きな書店
でも配布しています。詳細や配布場所は、
6月上旬から一般財団法人 不動産適正取引
推進機構のホームページで告知されます。

8月

‥‥ 受験申込みの受付

インターネットでは7月上旬〜下旬、
郵送では7月上旬〜中旬まで申込みを
受け付けています。

9月

‥‥ 受験票の送付

10月初め頃までに、受験票が届きます。

10月

試験実施

10月の第3日曜日、13時〜15時*に
試験が実施されます。

合格

11月

‥‥ 合格者発表

11月下旬に合格者が
発表になります。

試験時間は2時間*。
途中退出はできないので、
体調管理に注意！

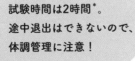

12月

※登録講習修了者は、
13時10分〜15時（1時間50分）

くわしくはこの
ホームページで
確認してね

宅建士の資格試験を行うのは、一般財団法人 不動産適正取引推進機構。
試験の申込みや問い合わせもこちらへ。

くわしくは→ **https://www.retio.or.jp/** へ

宅建士の試験ってどんな内容なの？

宅建士試験は、「宅地建物取引業法（宅建業法）」「法令上の制限」
「権利関係」「税・その他」の4分野から出題されます。

この分野からの出題が
一番多いんだね！

法|令|上|の|制|限

おもに街づくりや土地・建物の利用に関
する法律から出題されます。

- 都市計画法
- 建築基準法
- 農地法
- 宅地造成及び
  特定盛土等規制法
- 土地区画整理法
- 国土利用計画法
- その他の法令上の制限

出題数
8問

宅|建|業|法

宅地建物取引業を営むための法律から出
題されます。

- 宅建業法
- 住宅瑕疵担保履行法

出題数
20問

権|利|関|係

売主や購入者など、不動産取引
に関わる人たちの権利を守る民
法をはじめ、特別法と呼ばれる
複数の法律に関する問題が出題
されます。

- 民法
- 借地借家法
- 区分所有法
- 不動産登記法

出題数
14問

税|・|そ|の|他

宅地建物の取引に関係する税金に関する問題や不
動産鑑定評価、地価公示などから出題されます。

- 税
  不動産取得税、固定資産税、
  印紙税、登録免許税、所得税
- その他
  不動産鑑定評価、地価公示、
  住宅金融支援機構、景品表示法、
  統計、土地・建物

出題数
8問

宅|建|業|法

試験のなかでもいちばん出題数が多い分野。
宅建士の実務に直結した法律がメイン！

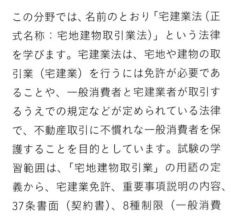

この分野では、名前のとおり「宅建業法（正式名称：宅地建物取引業法）」という法律を学びます。宅建業法は、宅地や建物の取引業（宅建業）を行うには免許が必要であることや、一般消費者と宅建業者が取引するうえでの規定などが定められている法律で、不動産取引に不慣れな一般消費者を保護することを目的としています。試験の学習範囲は、「宅地建物取引業」の用語の定義から、宅建業免許、重要事項説明の内容、37条書面（契約書）、8種制限（一般消費者と取引する際の規定）、報酬額など、いずれも宅建士の実務に直結したものとなっていて、初学者でも比較的理解しやすい内容です。ですから、もし、初めて法律を学習する人であれば、宅建業法からスタートすることをおすすめします。宅建士試験のなかでも特に重要な分野であり、試験の出題数50問のうち、20問も出題されますので、合格するためには、宅建業法では満点を狙いたいところですが、18問以上正解することを目標に学習することが必要です。

明海大学不動産学部からの学習アドバイス

宅建業法は、試験に合格するためだけではなく、将来宅建士として実務をするにあたり、基本となる法律ですから、しっかりと学習することが大切です。基本的に宅建業法は「不動産取引に不慣れな一般消費者を保護する」という趣旨で作られていますから、このことを念頭に置いて学習すると、全体を理解しやすくなるでしょう。特に8種制限などは、この考えをもとに、宅建業者（不動産取引のプロ）と一般消費者（不動産取引のアマチュア）が取引する際のルールを設けています。また、重要事項説明書と37条書面という2つの書面の記載項目については、不動産取引の場面において確実に把握しておかなくてはなりません。この2つの書面は似たような項目が多く、必ず試験に出るので、両書面の項目を比較しながら学習することが試験対策として必要です。学習をスタートしたときから過去問演習も行い、出題パターンをつかみましょう。

法|令|上|の|制|限

街づくりや土地・建物の利用に関する法律を学びます。都市計画法と建築基準法は他の法律とも関連する！

法令上の制限では、おもに街づくりや土地・建物の利用に関する法律を学習します。都市計画法は街づくりに関する法律、建築基準法は建物の建築についての規制を定めた法律です。都市計画法と建築基準法は、他の法律とリンクする部分があるため、用語を含め基本的なことをしっかり押さえる必要があります。このほかにも、農地と農業に携わる人の権利を守るための農地法、宅地造成をする際の災害防止に関する規制を定めた宅

地造成及び特定盛土等規制法、街並みをととのえるための土地区画整理法、地価高騰を抑制し、適正な土地利用を行うための国土利用計画法の4つを学習します。試験対策としては、いずれも主要な数字や許可、届出の要件を確実に覚えることが求められます。これ以外に、土地の利用の制限に関する他の法律から出題される年もあります。全50問のうち、全8問（うち都市計画法2問、建築基準法2問）が出題されますが、6問は正解したいところです。

明海大学不動産学部からの学習アドバイス

明海大学不動産学部では、まず、都市計画法をしっかり学習します。都市計画法では、都市部で街づくりをするために行う、土地の利用や都市施設の設置、市街地開発事業などについてさまざまな規制を設けていますが、公的事業と民間事業の場合によっても違いがあり、内容は複雑です。試験対策としては、暗記はもちろん、確実な知識の整理が求められますが、はじめは、本書で解説しているように、都市計画法で日本はどんな区域に分けられているのかをしっか

り理解しましょう。その後の建築基準法をはじめ、法令上の制限で登場する、農地法や宅地造成及び特定盛土等規制法、土地区画整理法、国土利用計画法を学習するうえでも不可欠な知識です。建築基準法では、建物を建てる際の規制を学習しますが、地域によってどんな建築物を建てられるかなど、私たちの生活に密着したことを学ぶので、わりと頭に入ってきやすいと思います。

権|利|関|係

民法は宅建業に関連する箇所からの出題が中心！図式化して考える習慣をつけよう。

権利関係では、民法を中心に特別法（特定の事項や人について適用される法律）である借地借家法、区分所有法、不動産登記法といった法律を学びます。民法は宅建業に関連する、契約や代理、物権変動、抵当権、相続などから出題されますが、難しく理解しづらい箇所もあるため、細かい部分まで深入りせずに、頻出事項に絞って学習しましょう。特に民法では問題を解くときに、登場人物の関係を図式化して理解することが必要なので、この本をみて、どんな図を描けばよいのか確認してください。特別法の借地借家法は、宅地や建物を借りるうえでの法律、区分所有法はマンションの建物や敷地の管理について定めている法律、不動産登記法は不動産登記について定めた法律で、過去問で出たところを重点的に解くことが必要です。試験の出題数50問のうち、全14問（うち借地借家法2問、区分所有法1問、不動産登記法1問）が出題されますが、権利関係では7問程度の正解を目標にしましょう。

明海大学不動産学部からの学習アドバイス

民法は2020年4月に大改正されました。もちろん本書でも、改正民法の内容で、解説しています。宅建士試験で出題される民法は出題範囲が非常に幅広く、過去に出題されたことのない箇所からの出題もあり、すべてを理解しようとするのは非常に困難ですから、効率よく学習することが求められます。そのためにも民法では、抵当権や売買契約、賃貸借契約といった、特に不動産取引と関連の深い項目に絞り込んで学習することをおすすめします。売買契約、賃貸借契約は取引するうえで欠かせない知識ですし、初学者の方は本書の権利関係の章で、「契約」が何かということから理解していきましょう。なお、特別法である借地借家法、区分所有法、不動産登記法は必ず得点源にしたい項目です。過去問を繰り返し解き、出題パターンをつかんでおくことが必要です。

税・その他

税金と土地や建物の価格の評定について学びます。登録講習修了者は5問免除になる科目も！

この分野では、不動産に関する税金（国税・地方税）と、価格の評定（不動産鑑定評価基準、地価公示法）を学びます。税金では、まず不動産を取得した場合などに、どのような税金が課されるのか、その種類と課税時期を把握しておきましょう。価格の評定では、不動産の価格を求める不動産鑑定評価と、土地の価格を決める目安となる公示価格を求めるための地価公示について学習します。5問免除科目*（景品表示法、住宅金融支援機構、土地・建物、統計）については、広告に関する法律・規制、住宅ローンなどの取引実務や、土地や建物の特徴について問われます。統計は、国土交通省が発表する、地価公示、建築着工統計、土地白書などのデータが出題されますので、最新のデータが掲載されているテキストや問題集を使うとよいでしょう。全50問のうち、全8問（うち国税1問、地方税1問、不動産鑑定評価基準と地価公示法のいずれか1問）が出題されます。

＊宅建業に従事している人で国土交通大臣の登録を受けた登録講習機関が実施する登録講習を修了すると、5問（景品表示法、住宅金融支援機構、土地・建物、統計）が免除されます。

明海大学不動産学部からの学習アドバイス

税金についてはなじみのうすい方もいらっしゃるかと思いますが、不動産に関連する税金には、国税と地方税の種類があることを理解しましょう。宅建士試験に合格するには、地方税である不動産取得税、固定資産税のほうが、学習範囲が狭く理解しやすいので、こちらの学習に力を入れることをおすすめします。国税の場合、印紙税、登録免許税、所得税（譲渡所得）などから1問出題されますが、なかでも登録免許税や所得税は内容が難しく理解に時間がかかるため、学習効率のわりに得点に結びつきにくいからです。また、初学者には不動産鑑定評価基準や地価公示法は、内容が専門的で難しいかもしれませんが、出題される範囲は限られているので、テキストを読んで、過去問演習を繰り返すほうが効率よく学習できます。景品表示法、住宅金融支援機構、土地・建物も同様です。統計は、最新データの大まかな動き（例：地価の上昇や下落など）を押さえておくことです。

直近の受験者のデータを見てみよう！

◎ 合格率は？ 令和5年度試験結果

受験者数 **233,276** 人

に対して

合格者数 **40,025** 人

合格率 **17.2** %

〈 合否判定基準　50問中36問以上正解 〉

※登録講習修了者は45問中31問以上

◎ 合格者はどんな人？

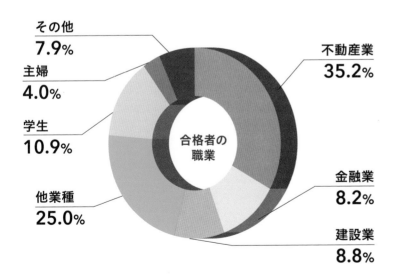

その他 **7.9%**
主婦 **4.0%**
学生 **10.9%**
他業種 **25.0%**

合格者の職業

不動産業 **35.2%**
金融業 **8.2%**
建設業 **8.8%**

不動産業に関わる仕事を
している人が**35.2**％で最多ですが、
金融業や建設業の人も
それぞれ1割程度います。
また、そのほかの職種から
受験する人も少なくありません。
学生もチャレンジし、
合格者が出ています。

けっこう
難しいんだね

宅建士になるまでのステップ

試験に合格したら宅建士への一歩が始まります。
実際に仕事をするためにはいくつかのステップが必要です。

資格は
一生有効！

受験希望者

〈宅建業に従事している人〉

登録講習
宅建業に従事している人
は、登録講習を受け、こ
れを修了すると試験問題
の一部が免除されます。

ファイト！

```
宅地建物取引士資格試験
        ↓
        合格
```

| 実務経験2年未満 | ⟷ | 実務経験2年以上 |

登録するときに注意！
登録を受ける場合は試験を
行った都道府県知事の登録
を受けます。

登録実務講習

あと少し！

```
宅地建物取引士資格登録
```

| 合格後1年以内 | ⟷ | 合格後1年超 |

これで宅建士になれる！

法定講習

合格から1年を
過ぎても講習を
受ければいいんだ

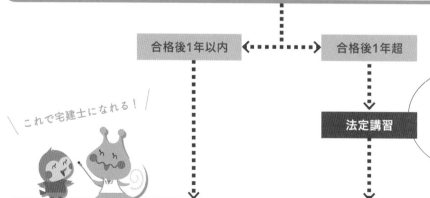

```
宅地建物取引士証交付
```

宅建士試験合格のポイント

「合格するぞ」の意志を持つ！

学業や仕事と両立して勉強をするのは大変です。出題範囲が広く、くじけそうになることもあるかも。そんなときは「絶対合格する」という強い意志を持つことがいちばん大事！

過去問を繰り返し解こう！

これまでの出題傾向をつかむには、過去問を繰り返し解くのが王道です。大切なのは必要な知識をきちんと理解したうえで挑むこと。丸暗記の知識では実務につながりません。

法律用語に慣れよう！

法律学習がメインの宅建士試験。法律用語は一見難しく、とっつきにくい印象ですが、まずは慣れること。似たような表現も多いのですが、一つひとつ丁寧に学ぶことで、理解が深まります。

がんばろう！

試験勉強の進め方

大学や資格学校などで学ぶ場合は、それぞれのカリキュラムに沿って学びますが、
ここでは独学で学ぶ場合の一例をご紹介します。

4月	5月	6月	7月	8月	9月	10月

出題分野をひと通り学習！

過去問で徹底補強！

模擬試験を受けよう！

本試験

Point
初学者の場合は、「宅建業法」から学び始めると、宅建士の仕事内容のイメージをつかみやすい。

Point
過去問を繰り返し解くことで、知識の定着がはかれる。過去10年分は、必ず解いておこう。

Point
試験の緊張感を体験しておくためにも本番前に1回以上は、資格学校などの模擬試験を体験しておくとよい。自宅から行ける範囲で、受験人数の多い会場を選択するのがおすすめ。

令和5年度
宅建士試験合格者インタビュー

試験直前の過去問演習が 合格の決め手に

在学中に宅建士や不動産鑑定士の資格取得の勉強ができる、ということから、明海大学不動産学部への進学を決めました。宅建士や不動産鑑定士はその資格を持っている人にしかできない業務（独占業務）がありますし、大学生のうちにがんばって取得できれば、就職にも有利になる、と思ったんです。

大学では、入学してすぐに宅建士試験の講義を受けますが、難しい法律用語も多く、最初は先生が何を話しているかがわかりませんでした。それでもテキストを3回繰り返して読むと、講義内容を理解できるようになったんです。過去問演習は一問一答式ではなく、最初から本試験と同じ四肢択一式で行うので少し難しく感じますが、テキストを読んでからその箇所を解くと、問題文の意味もわかり、解けるようになります。この方法は、初めて学習する人にもおすすめです。

夏休み前まで「権利関係」と「宅建業法」の勉強は真面目にやっていて、学外の人も受講できる明海大学のオープンカレッジの宅建講座内のテストでも上位に入れていました。でも、夏休み前くらいから、遊んでしまって……。しかも、「法令上の制限」の講義に出ていなかったので、内容を全く理解していないまま9月を迎えました。他の学生は、夏休みの間も必死で勉強しているのに、ぼくは遊んでいたから、テストの成績はガクンと下がり、先生からも「どうしたんだ？」と心配されました。さすがにこれではいけない、と思い、心を入れ替えて、勉強に集中しました。

9月中旬から本試験前の1ヵ月は、月曜から土曜まで毎日大学に行って、朝8時から夜10時半頃までぶっ通しで過去問を解きました。正誤の理由を考えながらていねいに解くことで、理解がどんどん進み、成績も回復していったんです。「法令上の制限」は、過去問によく登場する必要な数字や知識を中心に頭に詰め込みました。それでも時期が時期だけに、5問免除科目の勉強まで手が回らなかったのは痛恨でした。

試験前1ヵ月のがんばりが功を奏して、宅建試験には41点で合格できました。前期で「権利関係」や「宅建業法」をしっかり勉強していたから最後の追い込みでなんとかできたけど、基本知識の蓄えがなかったら、合格は厳しかったかもしれません。

不動産鑑定試験の 短答式試験に合格！

宅建士試験の次は、目標だった不動産鑑定士試験に挑戦しました。不動産鑑定士試験は、短答式試験と論文式試験の2つがあるのですが、短答式では、宅建士試験で勉強する「法令上の制限」の内容が「行政法規」という分野で問われます。ぼくの場合、宅建士試験の直前に集中的に勉強した「法令上の制限」の知識がとても役立って、約3ヵ月間の勉強で、短答式試験に合格することができました。

今は、論文式試験に向けて、大学のサークルでも鑑定理論などを勉強しています。勉強を進めていくなかでいろいろな人との出会いに恵まれ、視野が広がっていくのが、とても楽しいです。それに、宅建士試験から不動産鑑定士試験への勉強は「法令上の制限」や「民法」と、重なる分野もあるので、受験勉強も宅建士試験の延長にあると考えると、わりと取り組みやすいんです。もし、不動産鑑定士の資格に興味があれば、宅建士試験の勉強からスタートするとよいのではないでしょうか。

そして、宅建士試験を受けようと決めたら、まずは目の前の宅建士試験の勉強をがんばること。僕のように夏に遊んでしまうのは絶対にダメです（笑）。後で苦しい思いをするのは自分ですから、ちゃんと勉強は続けてください。

目の前の 勉強が 最優先！

明海大学
不動産学部2年
星野 陽哉 さん
（ほしの あきなり）

明海大学不動産学部に入学1年目で宅建士試験に合格したお二人に、
日頃どのように試験勉強を行っていたか、合格するための心構えなどを教えていただきました！

強い意志を持って半年間勉強に集中！

小さいころから、建物や家に興味があって最初は建築士になるのもいいな、と思っていたんです。そこからいろいろ考えるうちに、街づくりに興味をもつようになって、明海大学不動産学部の存在を知りました。在学中に宅建士の資格も取れるし、建築だけでなく街づくりについて幅広く学べることがわかり、入学しました。

4月から、1年生は全員宅建士試験に向けての勉強を始めます。民法から始まるので内容は難しいのですが、講義を聴いてわからないことがわかるようになることが、私にとっては楽しかったです。先生からはテキストをノートに写す課題が出ていたので、その日に学んだ範囲をノートに書き写してから過去問を解くようにしていたのですが、この方法も自分に合っていました。一度の講義ですべてを理解するのは難しいので、繰り返し学習することは大切だと思います。加えて、大学のオープンカレッジの講義で、学部の講義内容を復習できるのはありがたかったですし、習った範囲の四肢択一式の問題を解くテストでは、出題量も多く、かなり鍛えられました。順位がわかるので、いつも上位に入ることを目標にできた点もよかったです。

私は家から大学まで2時間かけて通学していたので、その間もテキストを読んだり、ひたすら勉強にあてていました。夏休み中も高校生時代の友達が楽しそうに遊んでいるのをSNSで見て、遊びたいという気持ちにはなりましたけど、SNSアプリにタイマーをかけたり、自分の意思で見ないようにして、勉強に専念しました。「今がんばれば、大学1年生で宅建士の資格を取れるんだ」という気持ちを持ち続け、夏休みも学校のセミナーに参加して予想問題を解いていました。

過去問は解けても、予想問題になると、知識はあるのに解けない問題もあったりして、その部分はテキストを見直すよう心がけました。テキストを見直すとき、最初にノートに写していたことで、だいたいあのページにあの表が載っていたなとすぐに思いだせて、復習にも役立ちました。

大学の後期に入ると、本試験と同じ全50問を制限時間の2時間で解く模擬試験も行われます。このときに、問1からではなく、自分が得意な「宅建業法」から解いたほうがいいな、と解き方をシミュレーションするようにしました。問1からだと「権利関係」の民法から出題されるので、難しくてそこで時間を取られてしまうこともあるので、こうした解き方を考えるのも模擬試験の受験では必要だと思います。

宅建士試験の勉強で街づくりにもっと興味が！

大学入学の4月から宅建本試験の10月半ばまでの間、勉強し続けることは大変です。でも41点で合格できた時は本当にうれしかったし、普通に街を歩いていても宅建士試験の勉強で学んだ知識のおかげで、建物の高さやどんな地域なのかを気にするようになって、視点が広がりました。さらに、街づくりに興味がわいてきたので、これから残りの大学生活で、もっと専門的な不動産の勉強をしていきたいと思います。

次は、就職を見据えてFPの取得を考えていますが、大学生のうちに宅建士試験に合格できたことは大きな自信となりました。

確かに勉強に集中しなければいけないのは大変ですが、私の場合、推しのアイドルの歌を聴いたりして、やる気を高めていました。上手に気分転換しながら勉強すれば、きっと大丈夫です。合格を目指して、がんばってください！

やる気を
持ち続けよう！

明海大学
不動産学部2年
無藤 梨帆 さん
（むとう りほ）

明海大学不動産学部 **中城康彦** 教授 ✕ 学生 **星野陽哉**さん・**無藤梨帆**さん

宅建士試験 合格トーク！

中城康彦教授が、

大学1年次に宅建試験に合格したお二人に、

宅建士試験の受験に関するあれこれを

インタビューしました。

その一部をここでご紹介します。

詳しくは動画でご覧ください！

左：無藤 梨帆 さん　中央：中城 康彦 教授　右：星野 陽哉 さん

Q

中城教授

法律用語など、宅建士試験の内容を
どのように理解していきましたか？

A

星野さん テキストや講義で配られるプリントなどを3回くらい読んで、内容をざっと頭に入れて、同時に法律用語を理解していきました。

無藤さん 全部覚えようとするのではなく、大切な部分だけ自分で調べたり先生に聞きにいったりして、少しずつ理解していきました。

**合格者からの
アドバイス**

学習した範囲ごとに復習しよう！

宅建士試験は法律試験なので、法律の勉強が初めてだと用語を含め、わからないことのほうが多かったです。それでも、講義を聴いたり、テキストを何度も読んだり、テキストをノートに写したりしていると、次第に内容がわかるようになってきます。一度勉強した範囲は必ず復習して、そのあとで過去問を解くようにすれば、理解が進んで勉強が楽しくなってくると思います。少しずつでも積み重ねが大事です！

Q 中城教授

過去問演習はどのように行っていましたか？

A

星野さん　宅建試験は四肢択一式なので、それぞれの肢について、どこが誤りでどこが正しいのかをはっきりさせて、ノートにその理由を書くようにしていました。

無藤さん　焦って問題文をちゃんと読まずに点数を落としてしまうことが多かったので、大事な部分に線を引くことを意識して、問題を解くようにしていました。

合格者からの
アドバイス

過去問演習は量と質が大切！

過去問演習はとても大切です。過去問を繰り返し解いていくと、出題パターンや試験でよく問われる重要な知識がわかるようになります。ぼくの場合、暗記科目といわれる「法令上の制限」は、大学でもらった教材を中心に、かなり昔の問題までさかのぼって解いていました。可能な限り量をこなしたほうがいいと思いますが、正誤の理由をわかったうえで判断できるよう、解き方の質も重視してください！

動画では、このほかにも模擬試験への取り組み方など、宅建試験に関することをいろいろと話してもらいました。これから勉強を始める方は、ぜひ動画をみて参考にしてください！

特典2 合格トークは動画でご覧いただけます！

合格トークのフルバージョンを、住宅新報出版YouTubeチャンネルにて公開します。下記のホームページから、アクセスしてください！

こちらからもアクセスできます！➡

住宅新報出版 ホームページ
https://www.jssbook.com/

YouTubeチャンネル
➡ @takkengoukakujss

※公開は2024年11月末予定です。

宅建士試験の学習を通じ、身近にある不動産を深く知る

明海大学 不動産学部長 中城康彦 教授

不動産取引の基礎を学ぶには、さまざまな法律の理解が必要

明海大学不動産学部では、不動産のプロフェッショナルを育成するために、不動産学を教えています。不動産学は、法学・経済学・工学を基礎とし、金融・投資・開発・流通・管理・経営といった、6つの専門分野で構成されています（29ページで解説しています）。この6つの分野を横断的に学び、あらゆる角度から不動産を知ることで、不動産を活用して、暮らしや社会をよりよくしていくための術を見つけることが可能となります。6分野を総合的に学び、不動産を多面的にとらえる能力を養うとともに、実践教育により課題解決力を身につけます。

不動産学を学ぶための前提として、宅建士の資格取得のための指導も行っています。宅建士試験の学習では、宅建業法をはじめ、民法、都市計画法などの街づくりに関する法令、税法などさまざまな法律を学びます。不動産取引に必要な対応力、判断力をつけるには、あらゆる法律や制度、つまりルールを総合的に理解することが求められるので、試験学習を通じて「不動産学」を学ぶうえでのベースづくりを行うのです。

しかし、大学に入学したばかりの学生たちのほとんどが、「宅建士試験で勉強する法律って、一体なんだろう？」という、知識ゼロからのスタートです。そんな学生に向けて、われわれ教員は、いかにわかりやすく教えるかということに注力していますが、そのノウハウを結集したのが、この『ゼロから宅建士スタートブック』です。本格的な宅建試験の学習を始める前に、一読していただくと、どんなことを学ぶのか、大枠をつかめると思います。

中城康彦 教授
明海大学不動産学部長
不動産学研究科長

名古屋工業大学大学院工学研究科修士課程建築学専攻修了。福手健夫建築都市計画事務所、一般財団法人日本不動産研究所、VARNZ AMERICA,Inc.勤務を経て、1992年に株式会社 スペースフロンティアを設立し代表取締役に就任。明海大学不動産学部講師、助教授を経て2003年より教授。2012年より現職。2004年4月から翌年3月までケンブリッジ大学土地経済学部客員研究員。博士（工学）、一級建築士、不動産鑑定士、FRICS。

不動産のプロとしての心構えを生む 宅建士試験合格のための指導法

　本学部の宅建士試験に向けた学習カリキュラムを解説しましょう。4月の講義開始から10月半ばに行われる本試験までの約半年間で合格するための学習をしていきますから、内容はかなりハードです。まず、1年次の4月から、宅建業法と権利関係の学習を同時並行でスタートさせます。最初は法律用語や専門用語をわかりやすく解説し、内容を理解してもらうように努めますが、早い段階から、専門的な内容も教えます。例えば、近年の災害状況も踏まえて、水害ハザードマップや、地盤や地形などについても詳しく教えています。試験に関連するところでもありますし、安心で安全な不動産取引をするために、必要な知識でもあるからです。

　講義は週3コマ（合計4.5時間）で、夏休み前までには、宅建業法、権利関係、法令上の制限まで、ひととおり学習します。宅建業法と権利関係（民法）では、内容が連動する部分もあり、同時に学習することで、横断的に理解できるように解説します。

　また、4月の講義開始時から本試験と同じ四肢択一式での問題演習を行い、早い時期から問題の解き方に慣れるように指導していきます。近年は、合格基準点が高くなる傾向にあり、正確な知識を駆使して問題を解く能力が求められていますので、そのあたりの指導にも力を入れています。

　こうした試験対策の指導も行いますが、試験学習を通じて将来不動産のプロとして活躍するための確実な法律知識を身につけてもらうことを基本的な目的としています。学生に対しては講義を通じて、不動産の仕事をするうえで、この法律の知識はなぜ必要になるのか、その理由を詳しく伝え、確実に理解できるように教えます。そうすることで、学生たちに、「自分は不動産のプロになるんだ」という心構えが生まれてくるのです。

さまざまな分野で 不動産の知識が求められている

　宅建士は、国家資格であり、法律知識をもとに、不動産取引を円滑に進める専門家です。宅地建物の安心で安全な取引と消費者保護を目的に制定された宅建業法には、重要事項説明など、宅建士でなければ行えない業務が定められていますが、こうした不動産取引以外でも、不動産の知識が求められている場面はたくさん存在しています。

　例えば、企業は事務所や店舗、工場などを構え、業務の拠点として、土地、建物を使用していますが、企業活動に適した土地や建物を手に入れ、どう活用していくかという経営戦略が重要で、そのための不動産知識が求められます。このほか、今の日本では、空き家対策も大きな課題として存在しますし、近年であれば、コロナ禍における不動産取引や、環境不動産（環境に配慮した不動産や環境性能の高い不動産）、所有者不明土地など不動産流通における課題は多岐にわたりますので、こうした課題に幅広い見識をもって対処していくことも、宅建士の役割であるといえます。つまり、宅建士が活躍するフィールドはとても広いのです。

　本学部で宅建士の資格を取得した卒業生は、不動産会社だけでなく、銀行や証券会社、ハウスメーカーなどに就職し、さまざまな分野で活躍しています。

　宅建士の資格を持っていると就職や転職でも有利になりますが、それ以上に、試験勉強を通じて、私たちの身近にある土地や建物といった不動産について深く知ることができ、知識の引き出しがどんどん増えていくよろこびがあります。ぜひ本書を読んで、宅建士試験に挑戦してみてください。そして、一人でも多くの方が合格してくださることを願っています。

明海大学不動産学部で教えている 不動産学について解説します！

不動産は私たちの暮らしを支える重要なパートナー

みなさんの最も身近にある不動産の一つに「住宅」があります。

住宅は、一戸建てでもマンションでも土地の上に建物が建っています。

この土地と建物が、いわゆる不動産と呼ばれるものです。

住宅だけでなく、コンビニエンスストアやスーパーマーケット、学校、会社などもすべて土地と建物でできています。このように、不動産は私たちが日々利用するものであり、私たちの暮らしを支えてくれる重要なパートナーといえます。

不動産学とは、人々が安心・安全・豊かに暮らしていくためにどのように土地や建物を活用していくかを考える学問です。不動産を上手に活用すれば、快適な住宅に住まうことも、企業が発展するための基盤づくりも、経済の成長を実現することもできます。

つまり、不動産学は私たちが不動産を通じて幸せに暮らす方法を追求する学問でもあるのです。

私たちの身近にある不動産

住宅　　学校　　会社

病院　　コンビニエンスストア

スーパーマーケット　　工場　　遊園地

明海大学で学ぶ不動産学とは

不動産は非常に高価なものであり、一つとして同じ物件は存在しないため、扱うには高度な専門知識を要します。そこで、明海大学不動産学部の社会デザイン専攻では、法学・経済学・工学といった不動産基礎学を横断的に学んだうえで、不動産開発・投資・金融・経営・流通・管理など、不動産と社会との関係を具体的に学びます。学生はキャリア形成を理解し、必要なスキルを体系的に学ぶことが可能です。不動産鑑定専攻では、不動産鑑定を学んで不動産鑑定士を目指し、建築デザイン副専攻では建築を深く学びます。

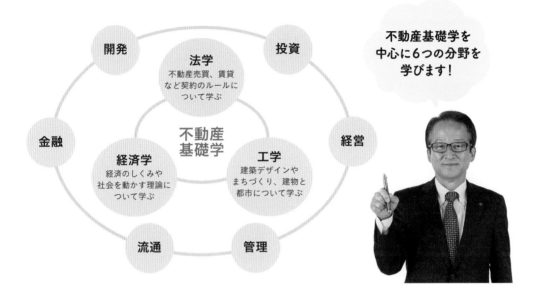

不動産学と宅建士試験の関連

宅建士は、法律知識をもとに取引を円滑に進める専門家です。

宅建士の資格を取得するには、契約に関する民法の知識をはじめ、不動産取引に必要な宅建業法、街づくりに関わる都市計画法や建築基準法、不動産に関する税法など、さまざまな法律を学ぶ必要があります。つまり、宅建士試験の学習をすれば、不動産学の「法学」の分野を通じて、不動産取引のしくみを理解できるようになります。

一般の人でも必ず不動産とは関わりがあります。まず不動産に関する法律を学ぶことで、生活のなかの売買や貸借といった不動産取引の知識を得ることができます。また、取引の実務につくようになると、法学に加え、価格（経済学）、建物診断（工学）など広く不動産学とかかわることになります。

明海大学不動産学部では、1年次から宅建士試験に関連する法律を学びますが、法律の学習を通じて不動産の面白さに気づく学生がたくさんいます。ぜひみなさんも、宅建士試験の学習で、不動産の面白さを発見してください！

ゼロから宅建士

4コマ劇場

⓪ ゼロからスタート編

法律の勉強が初めての人は、理解できるかどうか不安かもしれないけれど、用語の意味や勉強する内容がわかれば、次第に慣れてきます。この本では、法律用語をわかりやすく解説しているので、まずはひととおり読んで、おおまかな学習内容をつかんでくださいね！

宅建業法

宅建業法には、宅建士の役割や宅建業者が業務を行ううえで
守るべきルールなどが定められています。
住宅瑕疵担保履行法からも1問出題されます。
あわせて20問も出題される最重要分野です。

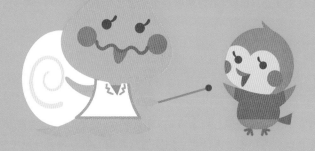

宅建業には免許が必要

宅|建|業|法

1

宅建業を営むには免許が必要です。宅地や建物は高額ですから、素人に扱わせるわけにはいきません。プロフェッショナル、つまり宅建業免許を受けた人（または会社）だけが宅建業を営むことができます。

POINT
1

売主には免許が必要
貸主には不要

宅建業（宅地建物取引業）とはどういう行為をいうのでしょう。例えば、ある人が総戸数10戸のマンションを建てたとします。このマンションを10人の人に売る場合には**宅建業免許**が必要となります。**売主は免許**を受けないといけないのです。ところがこのマンションを10人に貸す場合には免許は不要です。賃貸マンションの**貸主**（大家さん）になる**には免許は要らない**ということですね。「自ら転貸（また貸し）」の場合も、免許は不要です。

POINT
2

媒介や代理にも
免許が必要
<small>ばいかい</small>

媒介や**代理**というのは、他人が所有する宅地建物の売買や貸借のお手伝いをすることです。どちらも宅建業免許がなければ行うことができません。媒介のことは仲介ともいいます。この言葉のほうがなじみ深いでしょうか。仲介会社とか、仲介手数料とか……。賃貸マンションの貸主に代わって入居者募集をする（媒介です）には免許が必要ということです。媒介は契約のお手伝いをするだけですが、代理は宅建業者が契約まで当事者に代わって行います。

POINT
3

免許が必要なのは
「業」として行う場合のみ

POINT1・2で説明したように、売買や媒介・代理には免許が必要といっても、それはいろいろな人に対し何回も繰り返し行う場合の話です。皆さんが自分で住むためにマンションを買う、住み替えのために居住していた住宅を売る、といった場合には宅建業免許は不要です。**宅地建物の取引（売買や媒介・代理）を不特定多数に反復継続して行う場合に宅建業免許が必要**となります。

図1 売主には免許が必要。貸主には不要

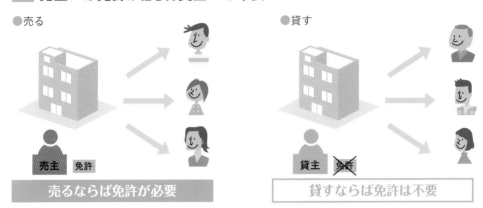

●売る 　　　　　　　　　　　●貸す

売主 免許　売るならば免許が必要

貸主 ~~免許~~　貸すならば免許は不要

図2 媒介（仲介）と代理

媒介は売買等のお手伝いするだけですが、代理は依頼人の
代わりに契約まで行います。

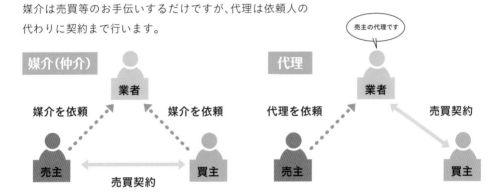

媒介（仲介）
業者
媒介を依頼　　媒介を依頼
売主　売買契約　買主

代理
売主の代理です
業者
代理を依頼　　売買契約
売主　　　　買主

表1 宅建業免許が必要な行為

	売買（交換）	貸借
自ら	○	✖
代理	○	○
媒介	○	○

＊○がついている行為を「業として」行う場合には、宅建業免許が必要となります。

ワンポイントアドバイス

表の○印がついている行為でも国や地方公共団体（←都道府県や市町村
のこと）、信託銀行や信託会社が行う場合には免許は不要です。また、交換
と売買は同じ意味と思ってください。交換は、宅地建物を購入する際、お
金で代金を支払う代わりに別の宅地建物で代金を支払っているというこ
とです。

大臣免許と知事免許

宅建業免許には国土交通大臣免許と都道府県知事免許があります。事務所(本店や支店、営業所など)が2つ以上の都道府県にある場合には大臣免許、1つの都道府県にのみある場合には知事免許となります。

POINT 1　知事免許も大臣免許も効力は一緒

たくさんの事務所があっても、東京都内にしかないのであれば東京都知事免許です。東京に本店、大阪に支店のように事務所が2つしかなくても、都道府県が異なるのならば、国土交通大臣免許です。知事免許も大臣免許も効力は一緒なので、**どの都道府県の知事免許でも全国で業務が行えます**。免許の違いは事務所の所在する場所の違いであって、効力の違いではないからです。つまり、東京都知事免許の業者でも千葉県にあるマンションの媒介ができるし、埼玉県にある分譲住宅の代理もできます。

POINT 2　免許の有効期間と更新

免許の有効期間は**5年間**です。有効期間満了後も宅建業を続けるには、期間満了日の**90日前から30日前**までの間に更新手続きを行います。

POINT 3　宅建業者名簿

免許を与えた国土交通大臣や都道府県知事のことを**免許権者**といいます。免許権者は、自分が免許を与えた宅建業者の状況を把握する必要があります。社長(代表取締役)は誰か、事務所はどこにあるのかといったことを把握するのですね。そのために**宅建業者名簿**が作成されます。宅建業者名簿に記載されている事項に変更が生じた場合には、宅建業者は免許権者に変更の届出を出さなければなりません。また、廃業した場合なども届出が必要です。どちらも**30日以内**に届出をします。

図1 大臣免許と知事免許

●国土交通大臣免許

東京都に本店があり、大阪に支店がある業者は国土交通大臣免許を受けます。

●知事免許

東京都

支店がたくさんあっても、東京都内にしかなければ、東京都知事免許を受けます。

■ 宅建業者名簿に記載される事項

❶ 免許証番号、免許の年月日
❷ 商号または名称
❸ 役員、政令で定める使用人の氏名
❹ 事務所の名称および所在地
❺ 事務所ごとに置かれる専任の宅建士の氏名　　　　　など

＊❷〜❺の事項に変更が生じた場合には、30日以内に届出が必要です。

表1 廃業等の届出

届出事項	誰が届け出るのか	いつまでに届け出るのか
死亡	相続人	死亡を知った日から30日以内
法人の合併による消滅	消滅した会社の代表者	その日から30日以内
破産手続き開始の決定	破産管財人	
解散	清算人	
廃業	会社の代表者（個人事業者なら本人）	

ワンポイントアドバイス

東京都知事免許の業者が神奈川県にも支店を設けたという場合には、免許を国土交通大臣免許に換えなければなりません。このことを**免許換え**といいます。「政令で定める使用人」とは事務所の責任者のことです。支店長や営業所長のことだと思ってください。「政令使用人」と略します。

宅|建|業|法 3 免許を受けられない者

宅建業は責任の重い仕事です。消費者に損害を与えるおそれのある人や会社には免許を与えるわけにはいきません。宅建業者にふさわしくない人を排除する基準を「欠格事由」といいます。

POINT 1 心身の故障により宅建業を適正に営むことができない者、破産者は免許を受けられない

心身の故障により宅建業を適正に営むことができない者として国土交通省令で定めるものは、免許を受けることができません。また、復権を得ない破産者も免許を受けることはできません。不動産取引する際の高額なお金を、破産者に預けるわけにはいきませんからね。ただし、破産者の場合、復権(破産することで失った権利を回復すること)をすれば、免許を受けることができます。

POINT 2 一定の刑罰を受けた者は免許を受けられない

まず、**懲役**や**禁錮**の刑を受けた場合です。どちらも刑務所に入れられる刑ですね。犯罪の種類を問わず、刑務所に入るような刑罰を受けた者は免許を受けることができません。また**宅建業法違反**や**傷害罪**、**暴行罪**など暴力的な犯罪で**罰金刑**を受けた場合にも欠格事由になります。宅建業法違反をするような人、暴力的な罪を犯す人は、罰金刑でも(刑務所に入らなくても)免許を受けられないということです。もっとも**刑の執行が終わってから5年間を経過**すれば、免許を受けることができます。

POINT 3 不正な行為をする者は免許を受けられない

不正な手段で免許を受けたことがわかれば、その免許は取り消されます。それだけでなく、取消しの日から5年間は免許を受けられません。ズルして免許を取るような人は、5年間反省していなさいということですね。**暴力団員**、これももちろんダメです。**宅建業に関し不正または不誠実な行為をするおそれが明らかな者**というのも欠格事由です。

図1 欠格事由に該当する者は免許を受けることができません

心身の故障により宅建業を適正に営むことができない者として国土交通省令で定めるもの

復権を得ない破産者

禁錮以上の刑が終わってから5年を経過しない者

宅建業法違反や暴力的犯罪で罰金以上の刑を受けてから5年を経過しない者

暴力団の構成員や構成員でなくなった日から5年を経過しない者

＊一例です。欠格事由はほかにもあります。

ワンポイントアドバイス

すでに免許を受けている者が欠格事由に該当した場合には、免許が取り消されます。法人（会社などのことです）の**役員や政令使用人が欠格事由に該当する場合には、その法人も欠格事由**になります。宅建業者A社の役員Xが傷害罪で罰金刑に処せられた場合、Xが欠格事由になるのでA社の免許も取り消されます。

宅建士だけができる仕事

宅|建|業|法 **4**

宅建業者は、従業者数に応じて「成年者である専任の宅建士」を雇わなければなりません。また、宅建士でなければできない仕事もあります。宅建士がいなければ宅建業はできないのです。

POINT 1 「3つの事務」ができるのは宅建士だけ

❶重要事項の説明、❷重要事項説明書への記名、❸37条書面への記名、この3つの仕事（事務といいます）は、宅建士でなければ行うことができません。**重要事項説明**とは、契約前に買主や借主に物件や契約条件について書面を用いて説明することをいいます。**37条書面**とは一般的には契約書のことです。重要事項説明書にも、37条書面にも宅建士が記名します。

POINT 2 宅建士になるには

宅建士試験に合格しただけでは、POINT1の3つの事務を行うことはできません。試験に合格し、宅建士の登録をし、**宅建士証の交付**を受けて、初めて3つの事務を行うことができます。宅建士の登録は、宅建士試験を受験した場所の都道府県知事に対して行います。例えば、千葉県で宅建士試験を受けて合格した人は、千葉県知事に宅建士の登録をし、千葉県知事から宅建士証の交付を受けます。いったん登録すれば、（違法行為をして登録を消されないかぎり）一生有効です。一方、宅建士証の有効期間は**5年間**です。有効期間経過後も宅建士として仕事をするのであれば、宅建士証の更新の手続きが必要です。

POINT 3 専任の宅建士の設置

事務所には**従業者5人に1人以上の割合で、成年者である専任の宅建士**を置かなければなりません。専任とはその事務所に常勤しているということです。

図1 宅建士の3つの事務

①重要事項の説明
②重要事項説明書への記名
③37条書面への記名

図2 試験合格から宅建士証交付までの流れ

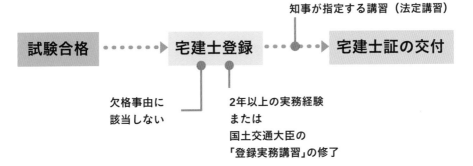

知事が指定する講習（法定講習）

| 試験合格 | ⋯⋯▶ | 宅建士登録 | ⋯⋯▶ | 宅建士証の交付 |

欠格事由に
該当しない

2年以上の実務経験
または
国土交通大臣の
「登録実務講習」の修了

図3 成年者である専任の宅建士の設置

事務所には、従業者5人に1人以上の割合で専任の宅建士を設置しなければなりません。
契約を結んだり、申込みを受けたりする案内所等には専任の宅建士を1人以上設置します。

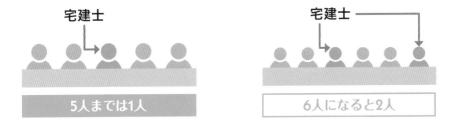

宅建士

宅建士

5人までは1人

6人になると2人

━━━ ワンポイントアドバイス ━━━

案内所等とは、事務所以外で宅建業を行うところです。分譲マンションの
販売に際して、物件の近くに作られる「モデルルーム」「現地販売セン
ター」などがその例です。案内所等では、他の物件は取り扱えません。

宅|建|業|法

5

宅建士登録と宅建士証

宅建士の登録にも欠格事由があります。宅建士としてふさわしくない人は、宅建士としての登録が認められないのです。

POINT 1 欠格事由に該当する人は宅建士にはなれない

宅建業免許の欠格事由とほぼ同じです。例えば、心身の故障により宅建士の事務を適正に行うことができない者として国土交通省令で定めるもの、破産手続開始の決定を受けて復権を得ない者は、宅建士の登録を受けることができません。宅建士登録特有の欠格事由としては**未成年者**があります。未成年者は、宅建士の登録ができないのです（営業の許可を受けているなど一定の場合を除きます）。

POINT 2 登録は移転することができる

宅建士の登録は、宅建士試験を受験した都道府県知事に対して行います。しかし、転勤などで別の都道府県で仕事をすることになった場合、登録先が遠隔地では不便です。そこで一定の場合には、**登録の移転**が認められます。例えば、東京都知事に登録している宅建士のAさんが青森県に転勤になった場合、青森県知事に対して宅建士の登録を移転することができるのです。なお、**登録の移転は義務ではありません**。転勤になったからといって移転しなくてもよいのです。

POINT 3 宅建士証

宅建士証の交付を受けるためには、交付の**申請前6カ月以内**に行われる「**知事が指定する講習**」（法定講習）を受けなければなりません（P39参照）。重要事項説明をする際や、取引先から求められた際は、**宅建士証を提示**しなければなりません。

図1 宅建士の欠格事由の例

①宅建業の免許欠格事由に該当するもの

②宅建士特有の欠格事由

心身の故障により宅建士の事務を適正に行うことができない者として国土交通省令で定めるもの

刑の執行が終わってから5年を経過しない者

暴力団員など

未成年者は宅建士の登録ができません（未成年者でも、「営業の許可」を受けた場合には、登録できます）。

■ 宅建士資格登録簿

宅建士の登録をすると、登録した都道府県にある「宅建士資格登録簿」に一定事項が記載されます。

❶ 氏名、住所、本籍、性別、生年月日
❷ （宅建業者に勤めている場合は）業者の商号または名称と免許証番号　　など

＊これらの事項に変更があった場合には、遅滞なく「変更の登録」をしなければなりません。

図2 宅建士証

宅建士証の交付を受けて初めて「3つの事務」ができます。宅建士証に記載されている氏名や住所に変更があった場合には、書換え申請をします。

宅地建物取引士証

氏　名　×××　×××
　　　　　（平成〇〇年〇月〇〇日生）
住　所　東京都豊島区池袋〇〇
登録番号　（東京）第１２３４５６号
登録年月日　令和〇〇年〇月〇〇日

令和△△年△△月△△日まで有効

東京都知事　　　□□

宅地建物
取引士証

東京都知事
専　　用

交付年月日　　令和〇〇年〇月〇〇日
発行番号　　　第　１２３４５６７８９　号

ワンポイントアドバイス

「遅滞なく」とは、遅れずにという意味です。資格登録簿の変更の登録は「遅滞なく」です。宅建業者名簿の変更の届出のように「30日以内」と日数が決まっているわけではありません。

事務所に備える3点セット

免許権者は、自分が免許を与えた宅建業者がきちんと業務をしているのか監督する必要があります。そのため、宅建業者に従業者名簿や帳簿を備え付けさせるなど、一定の義務を課しています。

POINT 1 従業者名簿と帳簿

宅建業者は、**従業者名簿**と**帳簿**を事務所ごとに備え付けなければなりません。誰が働いているのか（従業者名簿）、どういう取引があったのか（帳簿）をしっかり記録して残しておきなさいということですね。**従業者名簿は10年間、帳簿は5年間**保存する義務があります（帳簿のうち、自分が売主として販売した新築住宅については10年間保存）。また取引の関係者から**請求があった場合、従業者名簿は閲覧させなければなりません**（帳簿は、取引関係者へ閲覧させる義務なし）。

POINT 2 案内所等の届出

事務所は免許申請の際に届け出ます。一方、案内所（新築マンションの現地販売センターなど）は、免許申請の際には届け出ません。しかし免許権者は、宅建業者の業務を監督するために案内所等についても把握する必要があります。そこで、契約行為が予定される案内所等については、**業務を開始する10日前までに免許権者と案内所が置かれる都道府県の知事に届出**を行うことが義務付けられています。

POINT 3 標識の掲示

宅建業者は、事務所や一定の案内所等に**標識**を掲示しなければなりません。「○○不動産」といった表札のようなものです。自分は○○不動産だということをはっきり表示しなさいということですね。契約行為が予定されていない一定の案内所についても、標識の掲示は必要です。

図1 従業者名簿、帳簿の備付け

従 業 者 名 簿	
氏名	××××
生年月日	○年○月○日
番号	123456
・・	・・・・・・

従 業 者 名 簿	
氏名	△△△△
生年月日	○年○月○日
番号	789101
・・	・・・・・・

名簿は10年保存。閲覧義務あり。

帳簿は5年保存(自ら売主の新築住宅は10年)。取引関係者への閲覧義務なし。

図2 案内所等の届出の例

本社
東京都

案内所
神奈川県

都道府県知事免許の場合

東京都知事免許の宅建業者が神奈川県内に案内所を出す場合、免許権者(東京都知事)と現地の知事(神奈川県知事)の両方に届出をします。

国土交通大臣免許の場合

同じく免許権者と現地の知事(神奈川県知事)に届け出ます。ただし、免許権者(大臣)には直接、大臣(各地方整備局など)に申請することとなります。

図3 標識の掲示

宅地建物取引業者票	
免 許 証 番 号	東 京 都 知 事 (1) 第 ××××× 号
免 許 有 効 期 間	令和2年5月8日から 令和7年5月7日まで
商 号 又 は 名 称	株式会社 ○× 不動産
代 表 者 氏 名	代表取締役 ×××××
この事務所に置かれている専任の宅地建物取引士の氏名	×××××
主たる事務所の所在地	東 京 都 ×××××××××××××××× 電 話 番 号 ○○○○○○○○○○○

事務所や案内所等には標識を掲示します(各種の様式あり)。

ワンポイントアドバイス

本店(主たる事務所)の従業者名簿や帳簿は本店に、支店(従たる事務所)の従業者名簿や帳簿は各支店に備え付けます。支店の分もまとめて本店のみで管理するのは宅建業法で違反となります。パソコン等で記録して画面に表示させ、必要に応じて印刷させる方法でもかまいません。

トラブルに備えて

宅建業者がミスをして、取引の相手方に損害を与えてしまうことも考えられます。万が一の場合に被害者を救済するために、宅建業者は営業保証金を供託することが義務付けられています。

POINT 1
供託したことを
届け出なければ開業できない

供託とは、金銭や有価証券を供託所(国の機関)に預けることです。宅建業者は**営業保証金**を**供託**して、そのことを免許権者に**届け出**た後でなければ、宅建業を営むことができません。きちんと供託されたのか、免許権者が把握するためですね。

POINT 2
供託額と供託先

営業保証金の額は、本店(＝主たる事務所)は1,000万円、支店は1つにつき**500万円**です。金銭だけでなく、国債など有価証券での供託も認められます。本店の分も支店の分もまとめて**本店所在地の最寄りの供託所に供託**します。

POINT 3
営業保証金の
還付

万が一、取引で損害を受けた場合、相手方は供託所からお金を払ってもらえます。これを営業保証金から「還付を受ける」といいます。ただし**還付を受けられるのは宅建業に関する取引について生じた債権だけ**です。チラシの印刷代金や内装工事費などは営業保証金から還付を受けることはできません(印刷や内装工事は宅建業に関する取引ではないからです)。また、**宅建業者も還付を受けられません**(一般消費者を保護するための仕組みだからです)。

図1 営業保証金の供託と届出

①営業保証金を供託し、②免許権者に届け出た後でなければ、③開業できません。

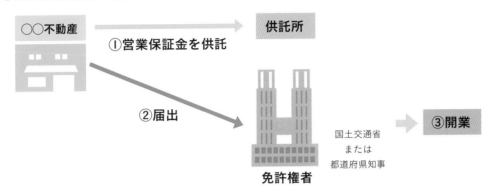

図2 供託額

金銭だけでなく、有価証券での供託も認められます。

→有価証券：国債（額面の100％で評価）、地方債（額面の90％で評価）、その他の有価証券（80％）。

例 本店のほかに支店が1つある宅建業者なら……。

図3 営業保証金の還付

宅建業に関する取引で相手方に損害を与えた場合、営業保証金を相手方に還付します。

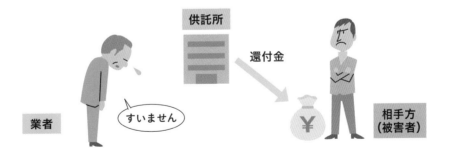

ワンポイントアドバイス

還付が行われると、供託してある営業保証金が不足します。その場合、免許権者から「営業保証金が不足しているので補充してください」という通知が来ます。宅建業者は**通知が来てから2週間以内**に不足額を供託しなければなりません。（補充）供託をしたら2週間以内に免許権者に届け出ます。

保証協会とは

営業保証金の1,000万円を準備するのは大変です。保証協会に加入すれば、分担金60万円を納めるだけで、宅建業を営むことができます。分担金は正式名称を弁済業務保証金分担金といいますが、ここでは「分担金」と略します。

POINT 1 保証協会を利用すれば 少額の分担金で開業できる

不動産トラブルは滅多には起きません。それなのに、すべての宅建業者が1,000万円を供託するのは非効率です。そこで保証協会という制度ができました。保証協会のメンバーである宅建業者（「社員」といいます）がトラブルを起こした場合、保証協会が供託している弁済業務保証金から還付が行われます。保証協会には何万社も加入しているので、分担金は本店（主たる事務所）は60万円、支店は30万円で済みます。

POINT 2 分担金の納付と 弁済業務保証金の供託

宅建業者は、分担金を金銭で納付します（有価証券は不可）。保証協会は納付を受けた日から**1週間以内**に弁済業務保証金を供託します（有価証券でもOK）。弁済業務保証金は「法務大臣および国土交通大臣が指定した供託所」に供託します。

POINT 3 還付があれば 充当する

弁済業務保証金から還付が行われると、保証金が不足してしまいます。その場合、保証協会は供託所に不足額を供託します（補充供託）。また、トラブルを起こした宅建業者に対し「還付充当金」を保証協会に納付すべきことを通知します。通知の日から**2週間以内に還付充当金を納付**しなければ、宅建業者は保証協会の社員の地位を失います。補充供託は保証協会が行いますが、最終的にはトラブルを起こした宅建業者が費用を負担するわけです。

図1 保証協会と分担金

本店のみを設置している宅建業者の場合、分担金は60万円ですが、
被害者には営業保証金と同額の1,000万円まで還付されます。

図2 補充供託と還付充当金の納付の流れ

取引でトラブルを起こし、相手方に保証金が還付された場合、
宅建業者は保証協会の通知から2週間以内に保証協会に還付充当金を納付する必要があります。

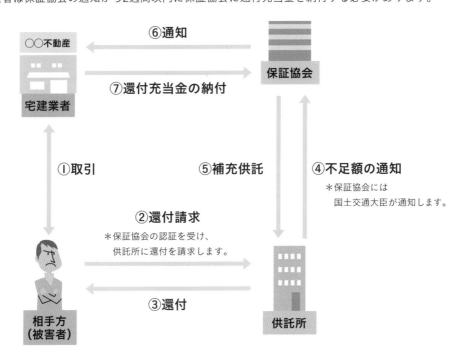

ワンポイントアドバイス

保証協会に加入している業者は60万円の分担金を納付しているだけ
ですが(本店のみの場合)、相手方(被害者)は1,000万円まで還付を受
けられます。保証協会の社員でなかった場合に供託する営業保証金の
額に相当する額まで還付を受けられるということです。

宅|建|業|法

9

業務上の規制

広告にウソを書いて優良物件に見せる、建築できるかどうかわからない建物を広告する、売主のふりをして後から「実は仲介（媒介）なので手数料をください」と言う……。こういった行為は当然禁止です。

POINT 1

誇大広告等の禁止

実際のものより面積を広く表示する、価格を安く表示するような広告を**誇大広告**といいます。架空物件でお客を呼び寄せる「おとり広告」も誇大広告の一つです。**誇大広告はもちろん禁止**です。誇大広告は被害が発生していなくても宅建業法違反となります。**だまされた人がいなくても**、ウソの広告をしただけで宅建業法違反になるということです。

POINT 2

確実に建築できる建物しか広告はできない

建物を建てる前には、法律を守っているか、安全性に問題ないかチェックを受けなければなりません。このチェックを**建築確認**といいます。建築確認を受けてはじめて工事に着手することができます。そして**建築確認を受けるまではその建物の販売や貸借の広告をすることができません**。例えば、3階建ての住宅の広告をしたのに、建築確認で2階建てまでしか認められないと、3階建ての広告がウソの広告になってしまうからです。広告だけでなく契約締結についても制限があります。

POINT 3

自分の立場をはっきりさせる（取引態様を明示する）

売主なのか媒介なのか、それとも代理なのか。宅建業者がどういう立場で取引に関わっているのかを**取引態様**といいます。宅建業者は**「広告をするとき」**や**「注文を受けたとき」**は取引態様を明示しなければなりません。自分の立場をはっきりさせるということですね。

図1 誇大広告等の禁止

誇大広告は禁止されています。

表1 広告開始時期の制限、契約締結時期の制限

建築確認を受ける前の建物を……

	売買・交換(自ら、代理、媒介)	貸借(代理、媒介)
広告できるか	✖	✖
契約できるか	✖	◎

● 建築確認を受ける前の建物であっても、貸借の代理、媒介による契約は可能です。
● 広告開始時期の制限、契約締結の時期の制限を受けるのは建築確認だけではありません。開発許可、農地法の許可など他にもあります。

図2 取引態様の明示

注文を受けた際は取引態様を明示します。
広告にも取引態様を記載します。

ワンポイントアドバイス

業務上の規制には、ほかにも
● 「守秘義務(=正当な理由がなければ、業務上知った秘密を漏らしてはならない)」
● 「断定的判断の禁止(=確実に値上がりすると断定し勧誘してはならない)」
などがあります。

宅建業法 10 媒介契約の種類

他人の不動産の売買をお手伝いすることを「媒介」といいました。媒介には3つの種類があります。なお、ここで説明する事項は、売買（交換）の媒介・代理に関するルールです。POINT2、3は貸借の媒介・代理には適用されません。

POINT 1 媒介契約には3つある

まず、**一般媒介契約**と**専任媒介契約**とに分かれます。一般媒介契約とは、複数の業者に媒介を依頼できる契約です。A社に依頼していても、B社にもC社にも媒介を依頼することができます。専任媒介契約とは、1社にだけ依頼するものです。A社に依頼したら、他の業者に依頼することはできません。専任媒介契約の中に、**専属専任媒介契約**と呼ばれるものもあります。専属専任媒介契約では、依頼者が自分で取引の相手方を見つけることができません。

POINT 2 （専属）専任媒介契約には業務の報告義務がある

専任媒介契約の場合は、業務の処理状況を依頼者に報告する義務があります。**専任媒介契約の場合には2週間に1回以上、専属専任媒介契約の場合には1週間に1回以上**です。一般媒介契約の場合には報告義務はありません。

POINT 3 （専属）専任媒介契約は指定流通機構に登録する

指定流通機構（レインズ）とは宅建業者間の物件情報交換システムです。**専任媒介契約の場合には契約締結日から7日以内、専属専任媒介契約の場合には契約締結日から5日以内**に、指定流通機構に登録しなければなりません。

図1 一般媒介と専任媒介

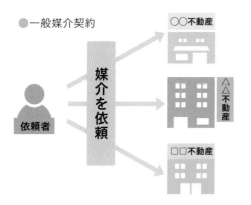

● 一般媒介契約

媒介を依頼

依頼者

○○不動産

△△不動産

□□不動産

一般媒介は複数の業者に依頼できます。有効期間の制限はありません。

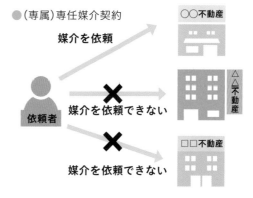

● (専属)専任媒介契約

媒介を依頼

依頼者

媒介を依頼できない

媒介を依頼できない

○○不動産

△△不動産

□□不動産

(専属)専任媒介では1社にしか媒介依頼できません。また有効期間は3カ月までと定められています。これより長い期間を定めても3カ月に短縮されます。

図2 (専属)専任媒介契約は指定流通機構に登録する

指定流通機構に物件情報を登録することで、依頼を受けた宅建業者以外も物件の情報について知ることができます。売買契約が成立する可能性が高まるのです。

＊物件情報を登録をした宅建業者は、指定流通機構が発行した登録証を遅滞なく依頼者に引き渡さなければなりません。

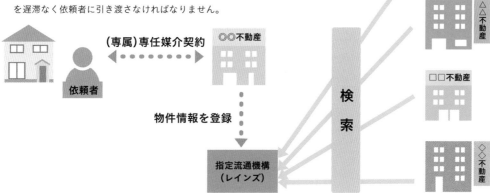

依頼者 ◀ (専属)専任媒介契約 ▶ ○○不動産

物件情報を登録

指定流通機構（レインズ）

検索

○○不動産

△△不動産

□□不動産

◇◇◇不動産

▌ワンポイントアドバイス

媒介契約が成立したら、宅建業者は**媒介契約書**を作成しなければなりません（一般媒介でも媒介契約書作成義務があります）。媒介契約書には「売買すべき価額（または評価額）」「媒介契約の種類」「有効期間」「報酬額、報酬の受領時期」「建物状況調査のあっせんに関する事項」などが記載されます。

報酬額には制限がある

宅|建|業|法

11

媒介や代理で契約を成立させた宅建業者は報酬を受けることができます。「媒介報酬」「仲介手数料」と呼ばれるものです。受け取ることができる報酬には限度額があります。まずは売買の媒介報酬の限度額をマスターしましょう。

売買代金の3%+6万円を計算する

報酬限度額は売買代金額によって異なります。売買代金額が400万円を超える場合には物件価格×3％＋6万円を計算します（なんで6万円がつくのかって？？ 今の段階では気にしないでください）。例えば、1,000万円の土地の売買を成立させた場合には、1,000万円×3％＋6万円＝30万円＋6万円＝36万円となります。

消費税を加算する

宅建業者が消費税課税事業者ならば、POINT1で求めた数字に消費税10％を加算します。皆さんが文房具屋で100円のペンを買うとき、お店の人は10％（10円）を足して110円を請求しますよね。それと同じです。36万円×1.1＝39万6,000円。これが媒介の場合に依頼者に請求できる媒介報酬の**上限額**となります。

両手と片手

売主から媒介依頼を受けた宅建業者が、自分で買主を見つければ、売主と買主の両方から報酬を受け取ることができます。業界用語で「両手」といいます。1,000万円の物件の場合、売主からも39万6,000円まで、買主からも39万6,000円まで受け取れます。別の業者が買主を見つけたという場合には、売主からだけ報酬を受領することができます。これを「片手」といいます。

図1 報酬限度額の計算

❶売買代金に応じた計算式を適用します。

売買価格(消費税を除いた額)	計算式
400万円を超える	**3%+6万円**
200万円超～400万円以下	4%+2万円
200万円以下	5%

1,000万円の土地の売買であれば、1,000万円×3%+6万円＝36万円となります。

❷宅建業者が課税事業者であれば、10%加算します。

36万円×1.1＝39万6,000円(これが一方の当事者から受領できる報酬の上限額です)

媒介報酬は39万6,000円です

図2 両手と片手

●両手

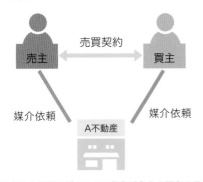

売主から依頼を受けたA不動産が自分で買主を見つければ、売主からも買主からも報酬を受け取ることができます。

●片手

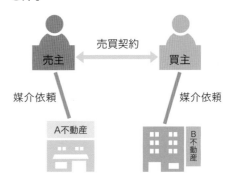

買主はB不動産が見つけたのであれば、A不動産は売主から、B不動産は買主から報酬を受け取ることができます。

ワンポイントアドバイス

売買価格に消費税が含まれるときは、消費税を抜いた価格で計算します。土地の売買には消費税がかからないので、1,000万円の土地売買であれば、1,000万円×3%＋6万円＝36万円という計算でOKです。しかし、住宅などで「売買代金は5,200万円(消費税200万円を含む)」とあれば、5,000万円×3%＋6万円＝156万円。消費税を足すので、156万円×1.1＝171万6,000円が受領限度額となります。

宅|建|業|法
12

必ず行う重要事項説明

不動産を購入したり借りたりする場合、物件や契約内容について、よく理解してから契約しないと、後でトラブルになることも考えられます。そこで、宅建業者は契約前に重要事項説明をすることが義務付けられています。

POINT
1

説明義務があるのは宅建業者
説明は宅建士が行う

重要事項説明をする義務は宅建業者にあるのですが、説明は宅建士が行います。専門知識が必要なので、宅建士の資格を持った人でなければ説明ができないのです（P38の宅建士の3つの事務、覚えてますか？）。宅建士が説明する際には**宅建士証を提示**します。また説明は、買主、借主に対して行います。売主、貸主は自分の物件のことはよく知っているので説明する必要はありません。

POINT
2

契約成立前に書面を交付して
説明する

重要事項説明は**契約が成立する前**に、**書面**（重要事項説明書）を**交付**して行います。書面には宅建士が記名します。宅建業者が買主、借主である場合には、説明を省略できます（書面交付は必要です）。オンラインでの実施も可能で、この場合は書面ではなく電子メールなどで、重要事項説明書のデータを送ることで「交付」を行うこともできます。

※相手方の許諾を得た場合に電磁的方法により、提供を行うこともできるようになりました。

POINT
3

買主、借主の立場で考える

重要事項説明の内容はたくさんの項目があります。自分が買主や借主になったつもりで、項目を見ていくと覚えやすいはずです。自分の買おうと思っている土地が法律で利用を制限されている（建物を建てられない土地もあるのです）のであれば、説明してくれないと困りますよね。説明の必要性が理解できれば、その項目は覚えられるはずです。もし「こんな項目まで説明しなくてはいけないの！」と思えるものがあれば、そこを重点的に覚えましょう。

図1 重要事項説明（対面での実施の場合）

重要事項説明は書面を交付して行います。説明の際は、宅建士証を提示します（胸につけておくのでも構いません）。

表1 重要事項説明のポイント（対面での実施の場合）

説明する義務があるのは？	➡	宅建業者
誰が説明する？	➡	宅建士
誰に説明する？	➡	買主、借主
いつまでに説明する？	➡	契約が成立するまでに
どうやって説明する？	➡	宅建士の記名がある書面を交付して

ワンポイントアドバイス

買主、借主が宅建業者である場合には、口頭での説明を省略できます。
なお、この場合でも書面等の交付は必要です。

重要事項説明の内容

宅|建|業|法 13

重要事項説明の項目はたくさんあります。また、権利関係や法令上の制限の勉強をしないと理解できないものもあります。今の段階では、ざっとどういうものがあるか、目を通しておくことにしましょう。

POINT 1 物件に関する事項を説明する

例えば、建築基準法（「法令上の制限」で勉強します）により、建物の高さが10mまでに制限されている土地があります。皆さんが土地の買主であれば、その制限について説明してほしいですよね。高い建物を建てようと思ったのに、買った後で知ったのでは困りますからね。でも建物を借りる場合には、「高さ10mまでの建物しか建てられない」という説明は不要です。自分で建物を建てるのではなく、すでに建っている建物を借りるだけだからです。そのほか、近年は水災害が多いため、市町村が作成する水害ハザードマップに、取引する土地や建物の位置が含まれる場合は、水害ハザードマップにおける土地や建物の所在地を示し、説明することになっています。

POINT 2 取引条件について説明する

「住宅ローンの審査が通らなかったらこの契約は解除されますよ（だから安心して買ってください）」といった**契約の解除に関する事項**や、「契約違反をした場合には代金の20％の違約金をもらいますよ」といった**違約金に関する事項**が説明されます。

POINT 3 賃貸借特有の説明事項がある

契約期間や契約の更新に関する事項が説明されます。「2年契約で、契約更新もできますよ」といったことですね。建物の貸借であれば、**台所、浴室、便所その他設備の整備の状況**も説明事項です。借りる側としても、どんな設備があるのか、きちんと説明してもらってから借りたいですよね。

図1 重要事項として説明すること

❶物件に関する事項を説明します。

建物の高さは
10mまでです

法律により土地の利用が制限されているのであれば、その内容を説明します。

❷取引条件について説明します。

契約に違反した場合の違約金は代金の20%です

契約解除や違約金についても説明します。

❸建物の貸借であれば、台所、浴室、便所その他設備の整備の状況も説明します。

浴室乾燥機
付きです

ワンポイントアドバイス

代金(賃料)は買主(借主)にとって大切なことですが、重要事項説明の内容ではありません。重要事項説明を聞いてから、「それならこの物件をいくらで買おう(借りよう)」と代金(賃料)が決まるというのが法律の考えなのです。一方、**代金(賃料)以外に授受される金銭の額と目的については重要事項で説明します。**具体的には手付金や礼金・敷金などです。

37条書面

契約は口頭でも成立しますが、宅建業者は契約書(契約を証する書面)を必ず作らなければなりません。後でもめないように、契約内容を書面に残しておくのです。宅建業法の37条にこの規定があるので、37条書面と呼ばれています。

POINT 1 宅建士の記名が必要

宅建業者は、売買契約や一定の賃貸借契約を成立させた場合には契約内容を書面化して、契約当事者に交付(電子メールでも可)しなければなりません。この書面が37条書面です。買主や借主だけでなく、売主や貸主にも交付します。また37条書面にも宅建士の記名が必要です。重要事項説明と違って**宅建士の説明は不要**です。

POINT 2 37条書面に必ず記載される事項

❶契約当事者(売主、買主など)の住所、氏名、❷物件を特定するための情報、❸代金、❹引渡しの時期、❺いつ登記が移るのか、❻中古建物の構造耐力上主要な部分等の状況について当事者双方が確認した事項の6つは必ず37条書面に記載されます。契約を証する書面なのですから、誰が、何を、いくらで買って、いつ引き渡してくれるのかは、当然記載されるのです。

POINT 3 定めがあれば記載される事項

代金・賃料以外にもお金を支払うのであれば37条書面に記載します。例えば、家を借りるときに敷金を預けるのであれば記載します。しかし、敷金について定めないのであれば記載する必要はありません。

図1 37条書面の交付

37条書面は両当事者(売買契約であれば売主・買主)に交付します。
宅建士の記名は必要ですが、説明は不要です(重要事項説明との違いに注意してください)。

宅建業者

37条書面 ← 同じもの → 37条書面

売主　　　　　　　　　　　　　　　　　　買主

■ 37条書面に必ず記載される事項

① 契約当事者の住所、氏名(売主・買主、貸主・借主は誰か)
② 物件を特定する事項(物件の所在地など)
③ 代金、賃料の額、支払時期、方法
④ 物件引渡しの時期(いつ買主、借主に物件が渡るのか)
⑤ 移転登記申請の時期(いつ登記が移るのか)
⑥ 中古建物の構造耐力上主要な部分等の状況について当事者双方が
　 確認した事項

＊賃貸借契約の場合には、⑤の移転登記申請の時期と⑥の中古建物についての確認事項の記載は不要です。

ワンポイントアドバイス

「敷金」とは、家賃の不払いなどに備えて大家さんが預かるお金で、保証金のことです。家賃不払いなどがなければ賃貸借契約が終了した後、返還されます。

クーリング・オフ制度

宅建業法には、「宅建業者が売主で、宅建業者以外の一般消費者などが買主となる売買契約」のときにだけ適用される8つの規定があります。不動産取引に不慣れな買主を守るための法規制で、クーリング・オフ制度などがあります。

POINT 1 クーリング・オフ制度で買主は一方的に売買契約を解除できる

一般消費者である買主から購入の申込みが売主である宅建業者に対し喫茶店などで行われた場合、**買主は、クーリング・オフ制度により一方的に売買契約を解除（破棄）する**ことができます。売主である宅建業者は、クーリング・オフ制度による解除を拒むことはできません。

POINT 2 クーリング・オフ制度による解除は無条件白紙撤回

買主が売買契約を一方的に解除（破棄）した場合、通常であれば売主から手付金の放棄や損害賠償を求められたりします。しかし、**クーリング・オフ制度による解除の場合、売主である宅建業者は、受領している手付金を返金しなければならず、損害賠償を請求することもできません。**まさに無条件白紙撤回ということができます。

POINT 3 クーリング・オフ制度による解除ができない場合

クーリング・オフ制度は買主を保護するものですが、その適用につき、各種の制約があります。次の場合、クーリング・オフ制度による解除はできません。

❶宅建業者の**事務所や買主からの申出により、買主の自宅・勤務先で契約を締結**している場合

❷宅建業者から「クーリング・オフを行うことができること・その方法」を**書面で告げられてから8日間を経過**した場合

❸買主が物件の**引渡しを受け、かつ、代金の全部を支払った**とき

表1 クーリング・オフ制度により、売買契約を解除する方法

方法	「クーリング・オフ制度により契約を解除する」ということを記載した書面で行う
解除の時期	「契約を解除する」旨の書面を発信した時に解除となる
損害賠償	売主である宅建業者は、損害賠償等を請求できない
手付金	売主である宅建業者は、受領していた手付金を返さなければならない

図1 クーリング・オフ制度による解除ができない場合

❶購入の申込みをした場所による制限

売主（宅建業者）の事務所、買主の申出による、買主の自宅や勤務先で購入の申込みをしている場合

○○不動産

売主（宅建業者）の事務所 → 売主（宅建業者）

クーリング・オフできない

× 売買

買主

＊テント張りの現地案内所や現地付近の喫茶店、ホテルのロビーなどで購入の申込みをしている場合であれば、クーリング・オフ制度による解除ができます。

❷一定期間が経過している場合

8日経過	宅建業者から「クーリング・オフを行うことができること、およびその方法」を書面で告げられてから8日間を経過した場合
取引完了	買主が物件の引渡しを受け、かつ、代金の全部を支払ったとき

▎ワンポイントアドバイス

クーリング・オフ制度の誕生は、悪質な宅建業者が取引に不慣れな消費者を無料温泉旅行などに招待し、旅館などで強引に別荘地や原野を売りつけるなどの「無料温泉商法」や「原野商法」が社会問題になったことがきっかけです。

手付金等の保全措置

宅|建|業|法
16

宅建業者が売主で、一般消費者などが買主となる売買契約の際に、物件を引き渡す前に売主である宅建業者が買主から手付金等を受領する場合、「手付金等の保全措置」というものを講じなければなりません。

POINT 1 手付金等とは引渡し前に
売主である宅建業者に払うおカネのこと

手付金等とは、買主が物件の引渡しを受ける前に、売主である宅建業者に払うこととなる手付金や中間金のことをいいます。物件の引渡しと代金の支払いが同時であれば安全ですが、先にお金を払ってしまうとなると、万が一、売主である宅建業者が倒産したような場合、買主は物件の引渡しを受けることができず、払ってしまったお金も返してもらえないかもしれません。

POINT 2 手付金等の保全措置で
買主は安心

売主である宅建業者は、一定額以上の手付金等を受領するのであれば「もし倒産となったら○○銀行が手付金等を返還します」とか「○○保険会社が支払います」というような保全措置を講じておかなければなりません。逆にいうと、保全措置が講じられていないのであれば、買主側としても手付金等の支払いを拒否することができます。

POINT 3 手付金等の保全措置を
講じなくてもよい額

受領しようとする**手付金等の額が一定額以下の場合、売主である宅建業者は保全措置を講じる必要はありません。**保全措置を講じなくても受領できる額は次のとおりです。
- 未完成物件の売買：**代金の額の5%以下**、かつ、1,000万円以下
- 完成済み物件の売買：**代金の額の10%以下**、かつ、1,000万円以下

図1 手付金等とは

手付金を含み、買主が物件の引渡し前に売主である宅建業者に支払う中間金など。
引渡しと同時に支払われる残代金は「手付金等」に含まれません。

**完成済み物件
4,000万円**

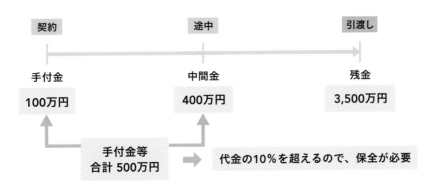

| 契約 | 途中 | 引渡し |

| 手付金 | 中間金 | 残金 |
| 100万円 | 400万円 | 3,500万円 |

手付金等
合計 500万円 → 代金の10%を超えるので、保全が必要

表1 手付金等の保全措置の例

❶ ○○銀行が返金します（連帯保証）
❷ ○○保険会社が支払います（保証保険）
❸ 指定保管機関が保管します（保管）

売買物件	手付金等の保全措置
未完成物件	❶ ❷
完成済み物件	❶ ❷ ❸

＊売主である宅建業者は、手付金等の保全措置を講じた後でなければ、買主から手付金等を受領してはいけません。

表2 手付金等の保全措置が不要な場合（少額の場合）

未完成物件	代金の額の5%以下で、かつ、1,000万円以下であるとき
完成済み物件	代金の額の10%以下で、かつ、1,000万円以下であるとき

ワンポイントアドバイス

新築のマンションなどで、まだ建築中（未完成）の物件の売買の場合で、物件価格が3,000万円なら、売主業者は、代金の額の5%の150万円までの手付金等であれば保全措置不要で受領できます。なお中古など、完成済みの物件の売買なら、代金の額の10%の300万円まで保全措置不要です。

損害賠償額の予定等の制限

売買契約後、相手に契約違反があって損失を被った場合は、相手に対して損害賠償を請求できます。原則として損害賠償は実際の損害に基づいて請求しますが、契約時に損害賠償額を決めておくことができます。

POINT 1 損害賠償額はあらかじめ予定できる

民法では契約時に損害賠償額をあらかじめ予定しておくことができるとしています。損害賠償額を予定しておくと、実際の損害額が予定額を上回っても、あるいは下回っても予定額しか請求をすることはできません。この損害賠償額の予定については「違約金」と呼ばれることもありますが、法律上は同じものです。損害賠償額の予定については、当事者間で任意の額に決めることができますが、公序良俗に反するような額については、裁判によって無効(一部無効)とされる場合もあります。

POINT 2 売主が業者の場合売買代金の額の2割が上限

民法では、損害賠償額の予定は売主、買主の双方で自由に決めることができます。しかし、**宅建業法では、売買代金の額の2割を上限とし、それを超える分を無効としています**。逆にいえば2割までは有効な取決めとなります。損害賠償額の予定自体は、消費者にとってもメリットのある制度なので、全部を無効にするのは必ずしも消費者の利益にならないからです。

POINT 3 損害賠償額の予定、手付の額上限、どちらも2割

手付解除をした場合、売主が宅建業者であれば買主は最大で売買代金の額の2割の損失を被ることになります(P66-67参照)。手付解除をできる期間を過ぎて契約を解除すると、損害賠償または違約金を支払うことになりますが、損害賠償額の予定をしておくと、やはり最大で売買代金の額の2割の損失となります。

図1 損害賠償額の予定等の制限

民法では　→　損害賠償額は当事者間で任意の額に決めればよい

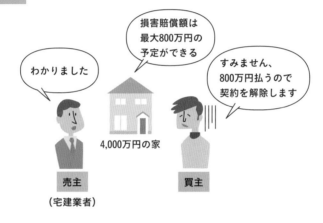

損害賠償額は700万円で

土地
売買代金

売主　買主

宅建業法では　→　売買代金の額の2割が上限

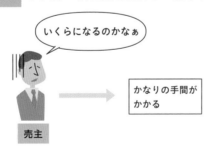

損害賠償額は
最大800万円の
予定ができる

わかりました

すみません、
800万円払うので
契約を解除します

4,000万円の家

売主
（宅建業者）

買主

予定をしなければ……　→　実際の損害額を計算して請求する

いくらになるのかなぁ

かなりの手間が
かかる

売主

ワンポイントアドバイス

違約金も損害賠償額の予定と同じものとされます。違約金というのは契約に違反したときに支払う金銭で、実際の損害額とは関係なく契約時に定められます。損害賠償額の予定も、実際の損害とは関係なく一定の金銭を支払うことをあらかじめ定めるので、違約金と同じとみなせるのです。

その他の8種制限

いままでみてきた「クーリング・オフ制度」「手付金等の保全措置」「損害賠償額の予定等の制限」以外で、宅建業者が売主で、一般消費者など宅建業者以外が買主となる売買契約のときにだけ適用される規定をいくつか解説します。

他人所有物の売買の禁止

宅建業法では、**「売主である宅建業者は、自己が所有していない物件を売買してはならない」**としています。なぜこのような規定が用意されているのかというと、民法では他人の所有物であっても売買してもよいとなっているからです。しかし、民法のままではトラブルの発生が予測されることから、宅建業法で規制しています。

手付の額は売買代金の額の2割まで

解約手付の場合、買主は、売買契約のときに売主に払った手付金を放棄することにより契約を解除できます。しかし売主にしてみれば、手付金の放棄による解除をしてほしくないため、多額の手付金を要求したり、手付金の放棄では解除できないという特約をつけたりすることも考えられます。そのため宅建業法では、**手付の額は売買代金の額の2割まで**と制限し、また、手付金の放棄で解除できるとしています。

売主の担保責任の特約の制限

売主の担保責任とは、引き渡した売買の目的物にキズや欠陥、数量不足などがあった場合に、売主である宅建業者が買主に対し負う責任のことです。これに基づき、買主は損害賠償額の請求や補修、不足分の引渡し、契約の解除などができます。民法上では売主がこの責任を一切負わないとすることも可能ですが、宅建業法では買主保護の観点から、そのような特約は無効となります。一定のケースについては、特約によって責任を免れることはできません。

図1 他人所有物の売買の禁止

民法	他人の所有物であっても、自分が売主という立場で売買してもよいが、売主はそれを他人から入手して買主に引き渡す義務がある。他人から入手できず買主に渡せなかった場合、買主は契約の解除や、損害賠償の請求ができる。

↓ 消費者保護のため、宅建業法で修正を加える。

宅建業法	宅建業者は、自己が所有していない物件を、自分が売主という立場で売買してはならない

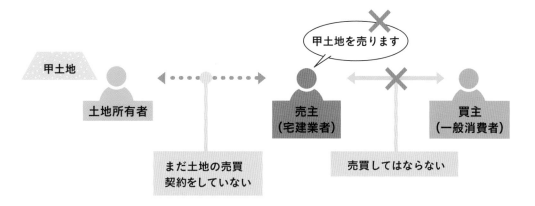

表1 手付の額・損害賠償額の予定は代金の額の2割まで

民法	手付の額	上限などの取決めなし
	損害賠償額の予定	

↓ 消費者保護のため、宅建業法で修正を加える。

宅建業法	いずれも、売買代金の額の2割まで

ワンポイントアドバイス

民法は、「取引は判断力がある大人同士がする」という前提に立つので、「契約自由の原則」という考え方になります。したがって、一方が極端に不利でも、大人同士がそうすると決めたんだったら「それでよし」となるのです。この考え方を宅建業法では少し修正し、取引に不慣れな一般消費者などの買主を保護しようとしています。

宅|建|業|法
19

監督処分と罰則

宅建業者が法令を守らない場合、国土交通大臣や都道府県知事は宅建業者を処分します。これを監督処分といい、宅建士も違反行為があれば監督処分を受けます。重大な違反の場合には懲役や罰金などの罰則を受けることもあります。

POINT
1

宅建業者に対する監督処分

指示処分、**業務停止処分**、**免許取消処分**の3つがあります。指示処分とは「違反行為があったから注意しろよ」と指示されるものです。指示処分と業務停止処分は免許権者以外もできます。例えば、東京都知事免許の宅建業者が千葉県で違反行為をした場合、東京都知事だけでなく千葉県知事も処分することができます。しかし、**免許取消処分ができるのは免許権者だけ**です。

POINT
2

免許取消しになる場合

必ず免許取消しになる場合（**必要的免許取消し**）と、免許権者の判断で取消しができる場合（**任意的免許取消し**。免許権者の判断で取り消さないこともできる）の2つがあります。欠格事由に該当した場合には、当然、必要的免許取消しになります。

POINT
3

宅建士にも監督処分がある

指示処分、**事務禁止処分**、**登録消除処分**の3つがあります。指示処分と事務禁止処分は、登録先の知事だけでなく違反行為を行った土地の知事も処分することができます。事務禁止処分を受けた場合、宅建士証を登録している知事に**提出**しなければなりません。登録消除処分があった場合には宅建士証を**返納**しなければなりません。

図1 必要的免許取消し（必ず取り消される）

① 欠格事由に該当する
② 免許換えをすべきなのにしていない
③ 免許を受けてから1年以上営業を開始しない、もしくは引き続き1年以上営業を休止した
④ 廃業の事実が判明した

＊1年以上営業を休止した場合には免許は取り消されます。

任意的免許取消し（取り消されることも取り消されないこともある）

① 免許を与える際に付した条件に違反した
② 宅建業者の所在が不明になった
③ 営業保証金を供託した旨の届出がない

ワンポイントアドバイス

罰則については、宅建士に対する罰則をまずは覚えましょう。「宅建士証の**返納義務**、**提出義務**に違反する」「重要事項説明の際に宅建士証を**提示**しない」といった場合には、**10万円以下の過料**を受けることがあります。

69

宅建業法 20

住宅瑕疵担保履行法

宅建業者が新築住宅の売主で、買主が宅建業者以外の場合、売主である宅建業者は10年間、一定の瑕疵担保責任を負います。引き渡した建物に何か問題(雨漏りなど)があった場合には、売主は責任を持って補修しなければなりません。

POINT 1 瑕疵担保責任と資力確保義務

雨漏りなどがあった場合、10年間、責任を持つことになっています。しかし、補修する義務があるといっても、途中で売主が倒産すれば、補修が実行されません。そのため、売主である宅建業者には補修するための資力を確保する義務があります。資力の確保の方法としては(1)保証金(**住宅販売瑕疵担保保証金**)の供託と(2)保険(**住宅販売瑕疵担保責任保険**)の締結の2つがあります。これらを資力確保措置といいます。

POINT 2 資力確保措置を講じたことを契約前に買主に説明する

保証金を供託をした場合や保険加入した場合は、買主に対し**契約締結前に書面(電磁的な方法でも可)**で供託所や保険内容等について説明しなければなりません。

POINT 3 免許権者に対する届出義務

宅建業者は、年1回の基準日(3/31)における保険契約の締結状況および保証金の供託状況を、**基準日から3週間以内に免許権者に届け出**なければなりません。届出がない場合には、**基準日の翌日から起算して50日を経過した日以降**、自分が売主となって新築住宅を販売することができなくなります。

図1 瑕疵担保責任

住宅の主要部分(基礎、壁、柱など)や雨水の浸入を防止する部分
(屋根や外壁など)について10年間、責任を負います。

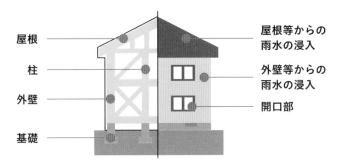

図2 資力確保義務

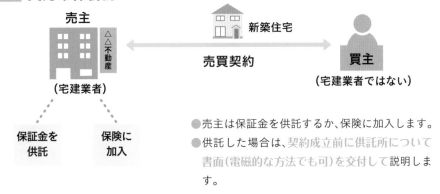

●売主は保証金を供託するか、保険に加入します。
●供託した場合は、契約成立前に供託所について
書面(電磁的な方法でも可)を交付して説明します。

図3 免許権者に対する届出義務

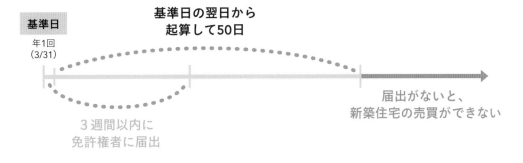

ワンポイントアドバイス

買主が宅建業者である場合には、住宅瑕疵担保履行法は適用されません。したがって、資力確保義務も不要です。

ゼロから宅建士 4コマ劇場

❶ 最初の心がまえ編

宅建士試験に挑戦しよう。そう思い立ったら、その日が吉日。君にとってのベストタイミング。だから、なんでもいいからすぐに行動しよう。ちょっとでもいい。行動したら、続けてみよう。1.00を365乗しても1.00だけど、1.01を365乗すれば37.8になるよ。

法令上の制限

建築物の建築には、都市計画法や建築基準法といった
法律によって「制限」が加えられています。
そんな法律について学ぶのがこの分野。出題数は全部で8問です。
合否の分かれ目となりやすい分野なので、理解を深めましょう。

都市計画区域（都市計画法）

はじめに「都市計画区域」というものをご紹介します。都市計画区域とは、読んで字のとおり「都市を計画的に建設していく区域」で、都市計画法により指定されます。

POINT 1

都市計画区域は
計画的に街づくりをする地域

都市計画区域とは、市街地を中心に、まとまった地域として開発したり、保全したりする場所を指します。きちんと計画して街づくりを行うことで、秩序ある住みやすい都市ができるのです。都市計画区域では、**道路や公園、下水道などが整備**されます。

POINT 2

都市計画区域は
国土面積の27%程度

日本の国土を山地と平地に大別してみると、75％は山地で、平地は25％程度です。ここでのテーマである「都市計画区域」は、都市を建設・整備していくべき区域であり、どういうところが適地かというと、やはり平地部分となります。そのようなことから、**都市計画区域は日本の国土面積の27％程度**にしか指定されていません。なお、都市計画区域内に人口の約94％が居住しています。

POINT 3

都市計画区域は
行政区域にとらわれない

都市計画区域は、実際の都市の範囲にあわせて決められるので、行政区域にとらわれません。１つの市町村の中にあるものもあれば、複数の市町村をまたぐ場合もあります。

図1 都市を計画的に建設していくために都市計画区域を指定する

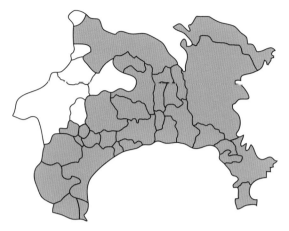

例 神奈川県の都市計画区域

■■■ 部分が都市計画区域

日本の土地は、都市計画区域に指定されている区域(■の部分)と、指定されていない区域(都市計画区域外)に分けることができます。

都市計画区域内

都市を建設・整備するための都市計画を実施する区域。

都市計画区域外

田畑が広がる山間の集落地域のように、都市計画を実施しない区域。

 ワンポイントアドバイス

都市計画区域を指定するのは都道府県です。2以上の都府県(北海道は陸続きではないので除く)にまたがる場合は国土交通大臣が指定します。都市計画区域を指定するにあたり、人口や商工業での従業者数など、一定の基準があります。国内旅行をしたとき、車窓からの風景をみて「都市計画区域かな、そうじゃないかな」というふうに考えてみるのも楽しいですよ。

市街化区域と市街化調整区域
（都市計画法）

都市計画区域を細かくみていくと、「市街化区域」と「市街化調整区域」に区分されている都市計画区域があります。それぞれの特徴を把握しましょう。

POINT 1 市街化区域と市街化調整区域に分ける理由

都市計画区域内であっても、市街地に適しているところもあれば、道路や上下水道などの公共施設の整備が不十分なため、まだ市街地に適さないところもあります。**市街地に適さないところには建物を建ててほしくないため、「市街化を抑制すべき区域」として、市街化調整区域に指定することがあります。**都市計画区域を市街化区域と市街化調整区域に分けるかどうかは、大都市か地方都市かで変わってきます。大都市では「必ず分ける」ことになっていますが、地方都市では「選択制」です。区分しない場合は、非線引き都市計画区域となります。

POINT 2 市街化区域は一般的な「街」のイメージ

市街化区域とは、「❶すでに市街地を形成している区域」「❷おおむね10年以内に優先的かつ計画的に市街化を図るべき区域」をいいます。「市街化」とは、建築物を建築して市街地にすることで、市街化区域は住宅地や商業地、工場地として活用されます。

POINT 3 市街化調整区域は田畑や里山、水辺空間のイメージ

市街化調整区域は「市街化を抑制すべき区域」です。市街化を抑制するということですから、**建築物の建築や宅地の造成工事は原則としてすることができません。**市街化を前提としていないため、市街地にするための公共投資も積極的には行われません。このようなことから、市街化調整区域の土地は利用価値が低いといえます。市街化区域と比べ、地価も大幅に低くなっています。

図1 市街化区域と市街化調整区域

都市計画区域外

市街化調整区域

市街化区域

都市計画区域

市街化区域	❶すでに市街地を形成している区域
	❷おおむね10年以内に優先的かつ計画的に市街化を図るべき区域
市街化調整区域	市街化を抑制すべき区域

＊市街化調整区域では、原則として、建築物の建築・宅地の造成はできません。

ワンポイントアドバイス

都市計画区域を市街化区域と市街化調整区域に区分するという制度は、人口が大都市圏に集中した昭和43（1968）年に生まれました。当時、人気のあった都市に人口が流入した結果、公共施設が未整備なところに建物が無秩序に建てられ、市街地が外に外にと広がっていってしまいました。無計画に街が広がると、市街地としての整備が大変なので、計画的に市街化を図っていこう、ということになったのです。

用途地域（都市計画法）

都市計画区域で市街化区域となっているところでは、積極的に建築物が建築されていきます。とはいえ、好き勝手に建築されてしまうと、街づくりに混乱も生じます。そこで、用途地域（全13種類）という制度があります。

POINT 1 用途地域は全13種類 おもに住居系・商業系・工業系がある

市街化区域には、13種類の用途地域のどれかが指定されています。**用途地域とはその名のとおり「その土地に建築できる建物の用途」を制限していく制度**です。用途地域は、住居系・商業系・工業系の3タイプに分けられます。

● 住居系用途地域（8種類）
　第一種低層住居専用地域、第二種低層住居専用地域、田園住居地域
　第一種中高層住居専用地域、第二種中高層住居専用地域
　第一種住居地域、第二種住居地域、準住居地域

● 商業系用途地域（2種類）
　近隣商業地域、商業地域

● 工業系用途地域（3種類）
　準工業地域、工業地域、工業専用地域

POINT 2 住宅街に大型ショッピングセンターが建たない理由

街を歩いてみれば気づくと思いますけど、閑静な住宅街に巨大なショッピングセンターや映画館ってないですよね。でも駅前だと大型の商業施設があります。どうしてそうなっているかというと、もうおわかりのとおり、用途地域による建築物の用途制限があるからです。閑静な住宅地として計画された地域にふさわしくないものは建てられないのです。場所に応じて、**住居系・商業系・工業系の用途地域を指定する**ことにより、それぞれにふさわしい街づくりを誘導していきます。

図1 用途地域が街づくりのキモとなる!

市街化区域

住居系

市街化調整区域

商業系

工業系

自然が
いっぱいだ!

表1 用途地域はどこに定めるのか

建築物には、戸建住宅やマンションなどの共同住宅、店舗や大型ショッピングセンター、オフィスビルや工場、ホテルや旅館、パチンコ店やカラオケ店などがあります。自分の土地だからといって、みんな好き勝手なものを建築すると、閑静な住宅街に、いきなり大型ショッピングセンターなどが建ち並んだりする可能性もあります。そのようなことを未然に防ぎ、良好な都市環境をつくるために「用途地域」という制度があります。

市街化区域	用途地域を定めるものとする
市街化調整区域	原則として、用途地域は定めない

ワンポイントアドバイス

用途地域では、建物の用途を制限するほか、それぞれの用途地域に応じた「建蔽率」や「容積率」を指定することにより、建築できる建築物の規模も制限しています。商業系の用途地域のほうが、住居系の用途地域よりも大きな建築物が目立ちます。「建蔽率」や「容積率」については、P86-89で解説します。

住居系用途地域（都市計画法）

住居系用途地域は8種類あります。その中で大きく分けると「低層住居専用地域」「中高層住居専用地域」「住居地域・準住居地域」の3タイプとなります。「低層住居専用地域」や「中高層住居専用地域」では閑静な住宅街となります。

第一種・第二種低層住居専用地域は閑静な戸建住宅街

第一種・第二種低層住居専用地域は、「低層住宅のための環境を保護する地域」です。**戸建住宅が建ち並ぶ閑静な住宅街**というイメージです。建築物の用途制限も厳しく、事務所や病院なども建築できません。建蔽率（けんぺいりつ）や容積率も低い数値となっているため、建築できる建築物の規模も3階建て程度までとなります。田園住居地域も同様の規制を受けます。

第一種・第二種中高層住居専用地域は中高層マンションが建ち並ぶ住宅街

第一種・第二種中高層住居専用地域は、「中高層住宅のための環境を保護する地域」とされています。低層住居専用地域と同じく「住居専用地域」ですが、**低層住居専用地域よりは大きな中高層建築物を建築することができ**、また、大学や病院、店舗などの建築も認められます。

住居地域・準住居地域は住居系と商業系用途地域の混合

第一種・第二種住居地域、準住居地域には、POINT1・2の「住居専用」の用途地域とは異なり、**住宅のみならず、商業的な建築物も混ざり合います**。マンションなどの住宅のほか、ホテルや旅館、ボーリング場、自動車教習所などの建築も可能となります。準住居地域では、倉庫やミニシアターの建築も認められています。

表1 住居系用途地域は8種類ある

第一種低層住居専用地域	低層住宅のための地域。用途制限がいちばん厳しく、飲食店やコンビニも建築できない
第二種低層住居専用地域	主として低層住宅のための地域。150㎡までの店舗などを建てることができる
田園住居地域	農業の利便の増進を図りつつ、低層住宅の良好な住居の環境を保護する地域
第一種中高層住居専用地域	中高層住宅のための地域。中高層のマンションを建てることができる。病院や大学、500㎡までの店舗の建築も可能
第二種中高層住居専用地域	主として中高層住宅のための地域。病院や大学のほか、事務所や1,500㎡までの店舗などの建築も可能となる
第一種住居地域	住居の環境を保護するための地域。マンションや病院、大学などのほか、3,000㎡までの店舗なども建てることができる
第二種住居地域	主として住居の環境を保護するための地域。住居系用途地域と商業系用途地域のクッションの役目を果たす。カラオケボックスや10,000㎡までの店舗も建てることができる
準住居地域	道路の沿道において、自動車関連施設や倉庫などとマンションなどの住居の調和を図る地域。車両通行量の多い国道や幹線道路沿いに指定される

低層住居専用地域

中高層住居専用地域

ワンポイントアドバイス

準住居地域、田園住居地域を除いて、住居系用途地域には「第一種」と「第二種」があります。建築物の規模的な差はありませんが、「建築できる建築物の用途」に違いがあります。第二種のほうが、第一種より用途制限が少しゆるくなっています。

商業系・工業系用途地域
（都市計画法）

商業系用途地域は「近隣商業地域」と「商業地域」の2つ。工業系用途地域は「準工業地域」「工業地域」「工業専用地域」の3つです。

近隣商業地域は
地元の商店街というイメージ

近隣商業地域は「近隣の住宅地の住民が日用品の買い物をする店舗など、商業その他の業務の利便を増進するための地域」です。ターミナル駅周辺の大規模な繁華街ではなく、**近隣の住宅地に住んでいる人たちがお惣菜や日用雑貨を買いにくる商店街というイメージ**です。小規模な駅周辺などで見受けられます。住宅のほか店舗、事務所、映画館なども建築できます。

商業地域はターミナル駅周辺の
繁華街というイメージ

商業地域は「主として商業その他の業務の利便を増進するための地域」で、**都心部や大規模なターミナル駅周辺などで広がる繁華街というイメージ**です。大規模な工場などの建築はできないものの、ほとんどすべての商業施設の建築が可能となります。また建蔽率（P86-87参照）も事実上100％で、容積率（P88-89参照）の上限も高いため、大規模な高層建築物が建ち並び、まさに活気あふれる街となります。

工業系用途地域は
いずれも工場の利便を図る地域

工業系用途地域のうち、いちばん工業色が薄いのは**準工業地域**です。**住宅や商店と町工場が混在するような街並み**です。一方、**工業地域や工業専用地域はまさに工場街というイメージ**です。工業系とはいえ、工業地域までは住宅や店舗も建築できます。しかし、工業専用地域では住宅の建築が禁止されており、文字どおり「工業専用」というイメージの街です。

表1 商業系・工業系の用途地域

近隣商業地域	近隣の住民が日用品の買い物をする店舗などがある地域。住宅のほか、第二種住居地域で建築できる店舗、事務所、ホテル、パチンコ店、カラオケボックスなどに加え、大規模な映画館、倉庫、小規模の工場まで建てられる
商業地域	主として商業その他の業務の利便を増進するための地域。危険性の高い工場や大規模な工場などは建築できないが、風俗施設を含め、ほとんどすべての商業施設の建築が可能。大規模な高層建築物が建ち並び、地価水準も高くなる
準工業地域	主として環境悪化をもたらさない工場なども建築できる地域。住宅や店舗などの商業施設のほか、軽工業の工場の建築も認められている。工業系ではあるものの、どちらかというと町工場が混在する住宅地というイメージに近い
工業地域	主として工業のための地域。準工業地域と比べ、工業色が強くなる。住宅地ではなく工業のための地域であることから、学校や病院、ホテルや旅館などの建築はできない。住宅を建てることもできるが、メインは工場となる
工業専用地域	工業の利便を増進するための地域。他の用途地域では建築できない危険性の高い工場や、著しく環境を悪化させるおそれがある工場など、どのような工場でも建てることができる。学校や病院、ホテルや旅館などに加え、住宅の建築も禁止されている。住宅を建築することができない唯一の用途地域である

商業地域

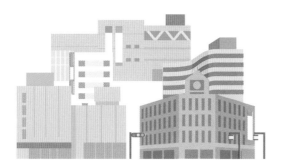

工業専用地域

ワンポイントアドバイス

用途地域をもっとよく理解するためにおすすめなのが、いま自分はどの用途地域に住んでいるのかを調べてみることです。住居系・商業系・工業系での街並みはだいぶちがってきます。実際に街を歩いて体感してみてくださいね。用途地域は自治体のホームページで確認できるほか、都市計画図という地図（市区町村の役所で売っています）でも調べられますよ。

道路と敷地の関係（建築基準法）

都市計画区域内では、街づくりのために各種の建築規制があります。重要なのが道路と敷地の関係で、いくら広い土地でも建築基準法で定める道路に2m以上接する土地でなければ原則として建物を建築できません。これが接道義務です。

POINT 1 建築可能な土地を見極めるポイント

建築物の敷地とするためには原則として次の**接道義務**を満たしている必要があります。建築可能な土地かどうかは、次の2つのポイントで判断してみましょう。

①敷地が**2m以上、道路に接している**か。
②敷地が接している道路は、**建築基準法上の道路**になっているか。

POINT 2 どのような道が建築基準法上の「道路」となるのか

建築基準法上の道路となる道は次のようなものがあります。これらの道のうち**道幅（幅員）が4m以上のもの**が「道路」となります。

①道路法や建築基準法などによる道路（国道や県道などの公道）
②昔から存在していた道
③2年以内に事業化される道路
④建物の敷地として土地を利用するために、新たに築造した私道

POINT 3 幅員4m未満の道路とセットバック

建築基準法上の道路は、幅員4m以上であることが原則ですが、**幅員4m未満の道**でも、現に建築物が建ち並んでいる道で、一定のものは「道路」とみなされます**（みなし道路。2項道路ともいう）**。「みなし道路」に面する敷地で建築を行う場合、原則として、道路の中心線から2mとなるように敷地を後退させなければなりません。これを**「セットバック」**といい、セットバック部分は道路となります。

図1 道路と敷地の関係（接道義務）

いくら広い土地だとしても、接道義務を満たしていなければ原則として建築できません。

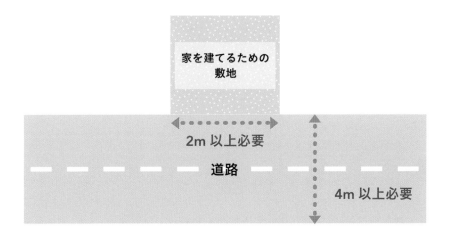

家を建てるための
敷地

2m 以上必要

道路

4m 以上必要

図2 みなし道路とセットバック

「みなし道路（2項道路）」に面した敷地に建物を建てる場合、道路の
中心線から2m分敷地を後退（セットバック）させる必要があります。

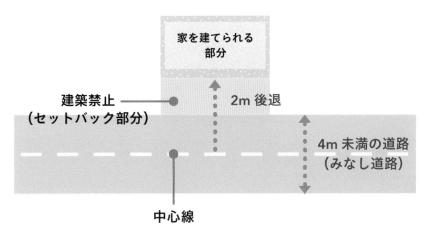

家を建てられる
部分

建築禁止
（セットバック部分）

2m 後退

4m 未満の道路
（みなし道路）

中心線

＊セットバック部分は道路となります。

ワンポイントアドバイス

みなし道路に面した土地では、建築の際にセットバックしなければなりません。セットバック部分は道路となるから、道路の両側の土地がそれぞれ後退していけば、みなし道路はいつしか幅員4m以上の道路となるというわけです。

法|令|上|の|制|限

7

建蔽率 (建築基準法)
けんぺいりつ

建蔽率とは「敷地面積に対する建築面積の割合」をいいます。建築物が敷地をどれくらい覆ってもよいかを表した数値で、例えば、「建蔽率50％」と指定されていたら、敷地の面積の半分は空き地としておかなければなりません。

POINT 1 建蔽率は用途地域ごとに指定されている

建蔽率は、用途地域に応じて上限が定められています。例えば、第一種・第二種低層住居専用地域、田園住居地域では、建蔽率の上限が30％、40％、50％、60％のいずれかで指定されています。戸建住宅が建ち並ぶ低層住居専用地域ですが、場所により建蔽率の上限が異なっています。

POINT 2 商業系の用途地域の建蔽率は？

商業系の用途地域は、住居系の用途地域より大きい数値で建蔽率の上限が定められています。建蔽率の上限は、近隣商業地域では60％か80％のいずれか、商業地域では80％（一律）となっています。

POINT 3 建蔽率が100％（適用除外）となる場合もある

用途地域に応じて上限が定められている建蔽率ですが、次の条件をすべて満たしている場合、**建蔽率を100％**とすることができます。
❶建蔽率の上限が80％と指定されている区域
❷かつ、「防火地域」(P92-93参照)に指定されていること
❸さらに、「耐火建築物またはこれと同等以上の延焼防止性能をもつ建築物」(P92-93参照)を建築すること
商業地域（建蔽率80％）では上記の条件を満たしていることが多く、ビルなどの耐火建築物が敷地いっぱいに建ち並ぶ風景となっています。

図1 建蔽率の求め方

$$建蔽率 = \frac{建築面積}{敷地面積}$$

□ =建築面積
□ =敷地面積

例 敷地面積が100㎡で、建築面積が60㎡の場合

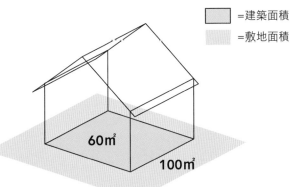

60㎡
100㎡

$$\frac{建築面積（60㎡）}{敷地面積（100㎡）} = 建蔽率（60\%）$$

表1 建蔽率の指定

用途地域	指定される建蔽率
第一種・第二種低層住居専用地域、田園住居地域	30％・40％・50％・60％
第一種・第二種中高層住居専用地域	30％・40％・50％・60％
第一種・第二種住居地域、準住居地域	50％・60％・80％
近隣商業地域	60％・80％
商業地域	80％
準工業地域	50％・60％・80％
工業地域	50％・60％
工業専用地域	30％・40％・50％・60％

┃ワンポイントアドバイス

「都市計画図」という地図についてP83でもちょこっと触れましたが、すこし補足を。この都市計画図を見れば、用途地域のほか、その土地の建蔽率や容積率（P88-89参照）の数値を調べることができます。市区町村単位で作成されていて、市区町村の役所に行けば1,000円～2,000円程度で買うことができます。

法令上の制限

法|令|上|の|制|限
8

容積率 (建築基準法)

容積率とは「敷地面積に対する、建築物の延べ面積（各階の床面積を合計した面積）の割合」のことで、土地に対して、どれくらいの大きさの建築物を建築できるのかを示しています。

POINT **1**

容積率で建物のボリュームが決まる

容積率も建蔽率（けんぺいりつ）と同じく、用途地域に応じて上限が定められています。**容積率の上限数値が高く定められていればいるほど、大規模な建築物の建築が可能**となります。敷地面積に容積率を乗じると、建築物の延べ面積が算出されます。

POINT **2**

例：敷地面積が200㎡で容積率が200％と定められている土地

敷地面積に容積率を乗じてみると、**200㎡（敷地面積）×200％（容積率）＝400㎡（延べ面積）**となります。各階の床面積との関係は次のようになります。

● 各階200㎡とすると、2階建てまで（**200㎡×2階**）
● 各階を100㎡とすると、4階建てまで（**100㎡×4階**）
● 各階を50㎡とすると、8階建てまで（**50㎡×8階**）

POINT **3**

建蔽率と容積率セットで建築物の規模を規制する

建蔽率と容積率は、セットで考えたほうがわかりやすいかもしれません。建蔽率も容積率も用途地域に応じて定められていますので、例えば、第一種低層住居地域であれば両方とも小さい数値となっています。「建蔽率50％・容積率100％」という感じです。その場合、敷地面積が100㎡であれば「1階50㎡、2階50㎡の2階建て」の建築物を建てることができます。同じ敷地面積で「建蔽率40％・容積率80％」であれば、各階40㎡となり、一回り小さいサイズの建築物を建てることができます。

図1 容積率の求め方

$$容積率 = \frac{延べ面積（各階の床面積を合計した面積）}{敷地面積}$$

例 敷地面積が200㎡で容積率200％と定められている場合の延べ面積

200㎡（敷地面積）×200％（容積率）＝400㎡（延べ面積）

各階50㎡

| 8 階 |
| 7 階 |
| 6 階 |
| 5 階 |
| 4 階 |
| 3 階 |
| 2 階 |
| 1 階 |

各階100㎡

| 4 階 |
| 3 階 |
| 2 階 |
| 1 階 |

各階200㎡

| 2 階 |
| 1 階 |

空き地 1/2

空き地 3/4

| 敷地全体を使う | 敷地の 1/2 に建てる | 敷地の 1/4 に建てる |

すべて容積率は 200％

＊上の図のように、同じ容積率でも、階数によりいろいろなパターンがあります（建物の高さは、ほかの法令でも規制されるので、容積率を満たしたからといって、つねに高い建物が建てられるとは限りません→P90-91参照）。

ワンポイントアドバイス

都市計画図を手に入れたら、さっそく街を歩いてみましょう。建蔽率や容積率を都市計画図で調べてみて、どれくらいの規模の建築物が建ち並んでいるのか、どのような雰囲気の街になっているのか、実際に体験してみるのがいちばんの勉強になるはず！

建築物の高さ規制（建築基準法）

建蔽率（けんぺいりつ）や容積率のほかに、建築物の「高さ」を制限する規定がいくつかあります。いずれも日照や通風を確保するためのもので、住居系の用途地域ではやや厳しい制限となっています。

絶対高さの制限

第一種・第二種低層住居専用地域、田園住居地域内では、建築物の高さは、10m以下か12m以下としなければなりません。これを「絶対高さの制限」といいます。都市計画によりどちらかの数値が定められています。一般的な住宅の1階の高さは約3mであるため、これらの地域では3階建てまでの建物しか建てられないということです。

斜線制限

建築物の各部分の高さは、道路や隣接する建築物の日照・採光・通風を妨げないように制限されていて、これを「斜線制限」といいます。**建築物を真横から見ると、上層階の部分が斜線で切り取られたような形態**になっていることがあります。斜線制限には、道路斜線制限、隣地斜線制限、北側斜線制限の3種類があります。

日影による中高層の建築物の高さ制限（日影規制）

日影規制は、日照を確保することを目的した建築物の高さの制限です。住宅地などに建つ中高層建築物に対し、建築物自体の高さを抑えたり、隣地境界線から距離をとるなどの方法により、**一定時間以上、隣地に日影を生じさせないようにしています。**対象区域は、地方公共団体の条例で定められています。

図1 絶対高さの制限

第一種・第二種低層住居専用地域、
田園住居地域

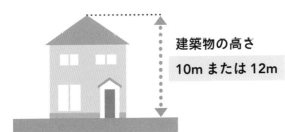

建築物の高さ
10m または 12m

第一種・第二種低層住居専用地域、田園住居地域内では、建築物の高さは、10mまたは12m以下としなければなりません。

図2 斜線制限

例 道路斜線制限

斜線
（この斜線の中に建物をおさめる）

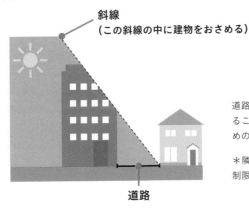

道路

道路と道路の上空に一定の空間をとることで、日照や通風を確保するための制限です。

＊隣地斜線制限と北側斜線制限は、道路斜線制限と制限の仕方が異なります。

図3 日影規制

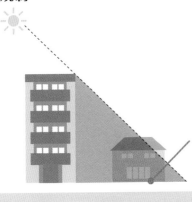

この建物の敷地に一定時間以上日影が生じないようにする

住宅地などに建つ中高層建築物の高さを抑えるなどして、一定時間以上、隣地に日影を生じさせないようにするためのもの。

ワンポイントアドバイス

日照や通風などを確保するため、このように、建築物の規模に関する規定がいくつかあります。「斜線制限」によって高さが制限されている建築物は、街でよく見かけるはず！

防火地域・準防火地域内の制限
（建築基準法）

防火地域・準防火地域は、市街地における火災の危険を防除するため定める地域です。防火地域・準防火地域内の建築物には、ルールが設けられています。

POINT 1

火災に強い
耐火建築物・準耐火建築物

「耐火建築物」はいちばん火災に強い建築物で、壁や柱、屋根などの主要構造部が鉄筋コンクリートなどの耐火性のある材料で造られています。**「準耐火建築物」**は、耐火建築物と比べれば耐火性能は多少低くなるものの、軽量気泡コンクリートなどの**耐火性の高い材料で覆われた建築物**です。

POINT 2

防火地域内で耐火建築物等と
しなければならない場合

防火地域内で建築物を建築する場合、その建築物が「3階建て以上（地階を含む）」か「延べ面積が100㎡超」のいずれかであれば、耐火建築物またはこれと同等以上の延焼防止性能をもつ建築物としなければなりません。例えば、2階建ての個人住宅でも防火地域内で建築する場合、延べ面積が100㎡を超えていれば耐火建築物等とする必要があります。商業系の用途地域には防火地域が重ねて指定されていることが多いようです。

POINT 3

準防火地域内で耐火建築物等と
しなければならない場合

準防火地域でも耐火的な構造制限がありますが、防火地域と比べ少し規制がゆるくなっています。**準防火地域内では、「4階建て以上（地上階数）」か「延べ面積が1,500㎡超」のいずれかの建築物については耐火建築物またはこれと同等以上の延焼防止性能をもつ建築物としなければならない**とされています。2階建ての個人住宅程度であれば、必ずしも耐火建築物等とする必要はありません。住居系の用途地域では、防火地域ではなく準防火地域の指定のほうが多いようです。

図1 防火地域と準防火地域

防火地域は駅周辺の繁華街などが指定され、準防火地域はその防火地域を取り囲むように指定されていることが多いです。

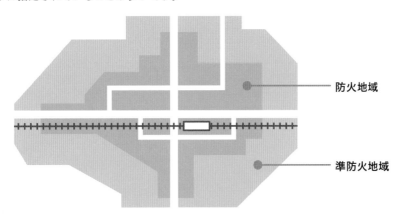

防火地域

準防火地域

図2 耐火建築物等としなければならない場合

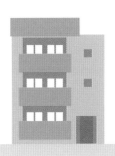

防火地域

・3階建て以上(地階を含む)
・延べ面積が100㎡を超える
いずれかの場合は耐火建築物またはこれと同等以上の
延焼防止性能をもつ建築物としなければなりません。

準防火地域

・4階建て以上(地上階数)
・延べ面積が1,500㎡を超える
いずれかの場合は耐火建築物またはこれと同等以上の延焼防止性能をもつ建築物としなければなりません。

ワンポイントアドバイス

建築物が防火地域と準防火地域にまたがる場合は、防火地域のほうの規定が適用されます。防火地域と未指定地域だったら防火地域、準防火地域と未指定地域だったら準防火地域のほうの規定が適用されます。規制の「厳しいほう」が適用されると覚えておきましょう。

農地法

お米や野菜などの食料を安定して供給し続けるには、農業生産力の維持が必要です。そのためには農地と農業に携わる人の権利を守らなくてはなりません。そこで作られた法律が、農地法です。

POINT 1 農地とは

農地法での「農地」は、今使われている土地の状態で判断します。登記簿上の地目とは関係ありません。登記簿上山林であっても、現状、耕作の目的に供される土地であれば農地になります。また、実際に作物を栽培していない休耕地であっても、耕作しようと思えばできる場合は農地になります。一時的に野菜を栽培しているような家庭菜園は農地ではありません。

POINT 2 農地法 3・4・5条許可

農地を他人に売却したり、他人に貸したりする場合に、当事者は農業委員会の許可を受けなければならないのが3条許可です。**農地を宅地等にする場合**に、当事者は都道府県知事等の許可を受けなければならないのが4条許可です。**農地を宅地等にするため、この農地を他人に売却したり、他人に貸したりする場合**に、当事者は都道府県知事等の許可を受けなければならないのが5条許可です。

POINT 3 許可を受けない 契約（行為）は無効

許可がない農地の売買契約は無効となります。許可を受けずに農地を売買したのであれば元の所有者に戻せ、ということですね。**許可を受けないで農地を宅地に変えた場合には、原状回復を命じられることもあります。**元の農地の状態に戻せ、ということです。

図1 農地法3・4・5条の権利移動・転用

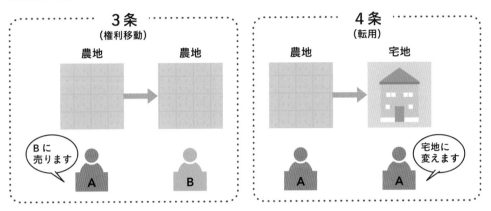

Aの農地を農地のままBに売る場合

自分で農地を宅地に変える場合

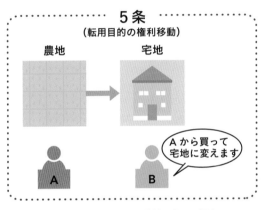

Aの農地をBに売り、Bが宅地に変える場合

表1 権利移動・転用の適用関係

権利移動・転用	許可権者	適用条文
権利移動	農業委員会	3条
転用	都道府県知事等	4条
権利移動+転用	都道府県知事等	5条

ワンポイントアドバイス

優先的に市街化を図る市街化区域内では、あらかじめ農業委員会に
届け出ておけば、4条・5条許可は不要になります。農地を宅地に転用
することにより、市街化をすすめることができるからです。

宅地造成及び特定盛土等規制法

この法律は、宅地の造成や宅地造成以外の盛土に伴うがけ崩れ、または土砂の流出による災害を防ぐため、必要な規制を行うことを目的とするものです。

宅地造成

宅地造成とは、できあがりが宅地(宅地以外→宅地、または宅地→宅地)であって、**❶切土2m超のがけ、❷盛土1m超のがけ、❸切土・盛土の場合、盛土部分1m以下のがけ、かつ、全体で2m超のがけ、または❹面積500㎡超の切土・盛土**のいずれかに該当するものをいいます(右図1参照)。

宅地造成等工事規制区域

宅地造成等工事規制区域は、都道府県知事等が、**宅地造成に伴い災害**(がけ崩れまたは土砂の流出による災害)が**生ずるおそれが大きい市街地または市街地となろうとする土地の区域**について、関係市町村長の意見を聴いて、指定をします。規制区域の指定は、都道府県知事等により公示されます。なお、規制区域の指定は、都市計画区域でなくてもできます。がけ崩れなどが起こるのは都市計画区域内だけとは限らないからです。これらの区域で宅地造成を行おうとするときは、事前に許可が必要となります。

特定盛土等規制区域

都道府県知事等は**宅地造成等工事規制区域以外の土地の区域**で、さまざまな条件により、**一定の規模の盛土や土砂の堆積が行われた場合に、それに伴う災害により、居住者等の生命、身体に危害を生ずるおそれが特に大きいと認める地域**を「**特定盛土等規制区域**」**として指定**できます。指定されると、工事には届出または許可が必要となります。

■ 宅地造成及び特定盛土等規制法での宅地とは

下記❶および❷以外の土地は、すべて「宅地」となります。つまり、この法律での「宅地」は、建物の敷地として使われる土地に限らないので注意しましょう。

「宅地」以外の土地
❶農地、採草放牧地および森林
❷道路、公園、河川その他公共施設用地（国または地方公共団体が管理する学校や墓地など）

図1 宅地造成

宅地以外の土地を宅地にする、もしくは宅地において行う土地の形質の変更パターンは4つ。

①切土

高さ2m超のがけが生じる場合

②盛土

高さ1m超のがけが生じる場合

③切土・盛土

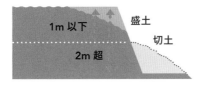

切土と盛土を同時に行い、盛土は1m以下でも切土と合わせて高さ2m超のがけが生じる場合

④面積500㎡超の切土・盛土

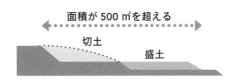

切土もしくは盛土の面積が500㎡を超える場合

▌ ワンポイントアドバイス

都道府県知事等は、このほか宅地造成に伴う災害で、**多くの居住者などに危害がおよぶ可能性の高い一団の造成宅地を、造成宅地防災区域として指定**することができます。なお、宅地造成等工事規制区域内で、造成宅地防災区域が指定されることはありません。

土地区画整理法

13

土地区画整理法とは、狭い道路や整っていない土地を整備し、新たに公園をつくるなどして、街並みを整える（土地の区画を整理する）ための法律です。この法律に基づいて行われるのが「土地区画整理事業」です。

土地区画整理事業

POINT 1

「土地区画整理事業」とは、都市計画区域内の土地で、公共施設（道路、公園、広場、河川等）の整備や改善、宅地としての利用を増進するために行われる、**計画的な街づくりのための事業（土地の区画形質の変更および公共施設の新設または変更に関する事業）**をいいます。土地区画整理事業は、都市計画区域内においてのみ施行することができ、都市計画区域外では施行することができません。

減歩と換地
げんぶ　かんち

POINT 2

道路の幅を拡げたり、公園を新設するには、多くの面積の土地が必要です。そのために、施行区域内の**土地の所有者から同じ割合で土地を提供**してもらい、この土地を公共施設用地にあてる「減歩」を行います。減歩によって生み出された土地を道路用地、公園用地等に集めて新しく道路や公園を造る場合、元の場所にあった宅地はほかの場所へ移します。**このように、ある人の宅地を別の場所に移すことを「換地」**といいます。

施行者

POINT 3

土地区画整理事業の施行には、２つのタイプがあります。一つは個人施行者、土地区画整理組合、区画整理会社が行う**民間施行**。もう一つは、都道府県や市町村の地方公共団体、国土交通大臣、独立行政法人都市再生機構、地方住宅供給公社が行う**公的施行**です。**都市計画事業として土地区画整理事業を行うのは、公的施行の場合のみです。**

図1 土地区画整理事業をすると？

●狭かった道路が広くなり、画地の形状も整然となります。
●保留地は施行者のものとなります。

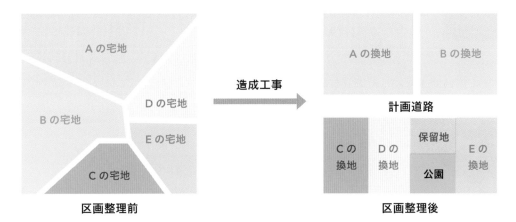

表1 仮換地・換地処分

仮換地	土地区画整理事業施行地区内の工事は大がかりなので、時間がとてもかかる。そのため、土地の所有者に仮に使ってもらうための土地として仮換地（仮の換地）が指定される。仮換地は通常、換地となるべき土地が指定される
換地処分	土地区画整理事業施行地区内の宅地について、仮換地が指定され、土地区画の工事が終わった後、従前の宅地に代わるべきものとして、土地の所有者に土地を割り当てる換地処分を行う。換地処分は、原則として、施行地区内全ての工事が完了した後に遅滞なく行う
保留地	事業の費用に充てるなど、一定の目的のため換地として定めない土地のこと

┃ワンポイントアドバイス

減歩により土地の所有者は土地の面積が減って、損をしたように思えますが、道路や公園等が整備されて、地域としての価値が高まると、それぞれの宅地の価格が上昇するので、結果的には、損をしたことにはならないのです。

法|令|上|の|制|限

14

国土利用計画法

地価高騰を抑制し、適正な土地利用を行うことを目的としてつくられた法律です。一定の面積以上の土地取引をした場合に、利用目的や土地の価格などについての届出制度を設けています。

POINT 1 届出が必要な土地取引

次のような土地取引を行う際には届出が必要です。

❶ 土地の所有権、地上権、賃借権などの権利の移転または設定であること

❷ 土地に関する権利の移転または設定が対価の授受をともなうものであり、かつ契約（予約を含む）により行われるものであること

❸ 市街化区域 　　　　　　　　　　　2,000㎡以上
市街化区域を除く都市計画区域 　5,000㎡以上
都市計画区域外の区域 　　　　　10,000㎡以上 　であること

POINT 2 事後届出

一般の区域の土地取引の場合、**権利取得者（売買の場合は買主）は契約を結んだ日から2週間以内に都道府県知事等に一定の事項を届け出る必要があります。これを事後届出といいます。**届出書には、契約者名、対価の額、契約締結年月日、土地の面積、土地の利用目的等を記載します。都道府県知事等は、土地の利用目的の変更を勧告することができます。

POINT 3 事前届出

地価の高騰が起こりそうな土地として、注視区域・監視区域が指定されると、その区域内の土地取引については、契約の両当事者が契約（予約を含む）を結ぶ前に、都道府県知事等に届け出る必要があります。土地の利用目的変更に加えて、予定される取引価格が適正ではないと判断される場合には、都道府県知事等は、取引の中止、取引価格の変更または利用目的の変更等を勧告することがあります。

図1 一団の土地取引（事後届出の場合）

個々の面積は小さくても、権利取得者（売買の場合であれば買主）が権利を取得する土地の
合計が次の面積以上となる場合（「買いの一団」といいます）には届出が必要です。

買いの一団

買主Eが売主A、B、C、Dからそれぞれ土地を集めた場合

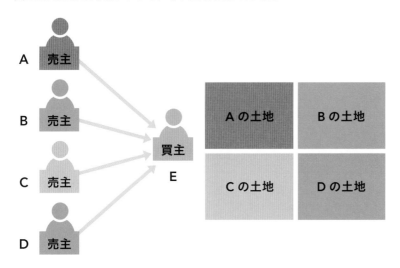

●Aの土地＋Bの土地＋Cの土地＋Dの土地 ≧市街化区域なら2,000㎡以上

市街化区域を除く都市計画区域なら5,000㎡以上
都市計画区域外の区域なら10,000㎡以上

 届出が必要

表1 注視区域と監視区域

注視区域	監視区域
地価が一定の期間内に相当な程度を超えて上昇するおそれのある区域	地価が急激に上昇するおそれのある区域

注視区域、監視区域は、都道府県知事等によって指定されます。この2つの区域で土地取引をするときは、事前届出が必要です。

ワンポイントアドバイス

事後届出の場合、都道府県知事等が勧告できるのは、「土地の利用目的」が
不適切な場合についてのみです。「土地の対価」も届出は必要ですが、こち
らは勧告の対象とはなりません。また、勧告に従わなかった者について、
知事はその勧告内容とともに氏名を公表できますが、土地取引の契約自
体は無効とはなりません。

法令上の制限

15

その他の法令上の制限

これまで紹介してきた法令以外にも、土地利用を制限する法令は数多く存在します。不動産関連業者にとってはどれも重要な法令ですが、ここでは宅建士試験での重要度という観点から、それぞれの法令を説明することにします。

POINT 1

環境保全等に関する法令

このカテゴリーにあたるのは主に、**自然公園法、生産緑地法、文化財保護法、土壌汚染対策法**などです。これら法令のポイントは、❶行為制限の内容、❷許可制か届出制か、❸許可権者ないし届出の相手方の3点です。例えば、土壌汚染対策法では、形質変更時要届出区域内で土地の形質変更をするときは都道府県知事に届出をする必要があります。

POINT 2

災害防止に関する法令

このカテゴリーにあたるのは主に、**地すべり等防止法、急傾斜地の崩壊による災害の防止に関する法律**などです。各法令で定められた特定の区域で一定の行為を行おうとする者は都道府県知事の許可が必要です。ここでは、行為制限区域の名称と制限内容を理解しましょう。

POINT 3

公物利用に関する法令

このカテゴリーにあたるのは主に、**道路法、河川法、港湾法、海岸法**などです。道路・河川・港湾・海岸などは公物、つまり国や地方公共団体が所有し、公益のため使用されているものですから、これらを個人や営利企業などが勝手に利用することを制限しているのです。道路や河川区域などを使用するときに許可を受けなければならない相手方は、知事ではなく道路・河川・港湾・海岸の管理者です。

図1 形質変更時要届出区域（土壌汚染対策法）

特定有害物質によって汚染されている土地の形質を変更しようとするときに、
届出をしなければならない区域として指定された区域のことです。

各都道府県の
知事に届出

図2 災害防止に関する法令

急傾斜地の崩壊による
災害の防止に関する法律

土砂災害警戒区域等における
土砂災害防止対策の推進に関する法律

危険のある区域では一
定の行為に知事の許可
が必要

がけ崩れ　　　　　　　土石流

表1 その他法令と行為制限に対する許可権者等

	地域・地区	許可権者等
生産緑地法	生産緑地地区	市町村長の許可
都市緑地法	特別緑地保全地区	都道府県知事の許可
	緑地保全地域	都道府県知事に届出
河川法	河川区域・河川保全区域、河川予定地内	河川管理者の許可

ワンポイントアドバイス

ここで、宅建士試験を受けるために知っておかなくてはならない法令が数
多く存在することがわかったと思います。でも、心配はいりません。宅建士
試験で問われるのは、ほとんどがPOINT1で挙げた❶〜❸の3点です。許可
権者として最も多く登場する知事と、それ以外の許可権者に分類すると効
率よく覚えられるはずです。

4コマ劇場

② 試験勉強編

1

> 宅建士試験の勉強のコツは？

2

> 雨にも負けず、風にも負けずだよ

> へえー

> うんうん

> なるほど

3

> ちょっとずつ前進あるのみ！

> がんばれがんばれ

4

> 合格すると景色が新しくなるよ

> コツコツがんばろう！

> そうか！

> さあいこう、新しい人生！

理想は毎日勉強したいところ。でも、そううまくいかないのも人生だ。心が折れそうな日がある。人によってちがうだろうけど、1カ月のうち7日くらいはあるんじゃないかな。そんなときはなにもしないこと。だいじょうぶ。また絶好調の日がやってくるから。

権|利|関|係

民法(契約や相続などのルールを定めた法律)10問、
借地借家法2問、区分所有法(マンションの法律)1問、
不動産登記法1問が出題パターンです。
興味を持てれば楽しく勉強できる分野です。

契約とは

宅建士試験では、権利関係という分野で民法の問題が多く出題されます。その中でも特に、売買契約や賃貸借契約のような契約についてしっかり理解しておくことが重要です。そこで、契約とは何か、ということから解説していきます。

POINT 1 契約とは、法律上の約束のこと

契約は、民法という法律上の制度であり、単なる約束とは違います。契約が成立した場合、契約で決めたことを守らなければならないという**拘束力が生じます**。基本的には、契約の当事者は、その契約の内容に従って、**債権を取得し、または債務を負う**ことになります。債務者はその義務を履行（実行）する責任を負うことになり、他方で債権者はその権利を行使することができるようになります。この点で、例えば「毎日勉強をする」というような親との「約束」と、契約は違うのです。

POINT 2 契約はお互いの意思表示が合致したときに成立する

コンビニエンスストアでお茶を買う例で、売買契約を解説しましょう。お客さんが店内に陳列されている100円のお茶を手に取り、レジに持っていくことが申込みの意思表示です。そしてお店側がレジでお茶を会計すれば、申込みを承諾することになり、お互いの意思表示が合致し、売買契約が成立します。この申込み・承諾の意思表示は、**必ずしも書面（契約書）によってしなければならないというわけではありません**。

POINT 3 公序良俗違反の契約（法律行為）は無効！

公序良俗違反とは、民法で**「公の秩序または善良の風俗に反する法律行為は、無効とする」**と規定されているものです。一般に公序良俗違反は、❶財産秩序に反するもの（例：賭博等）、❷倫理秩序に反するもの（例：売春契約や愛人契約）、❸自由・人権を侵害するもの（例：男女を差別するような雇用契約をすること等）があります。

図1 契約の成立

例えば、土地と家を買う場合、お客さんが「土地と家を買います！」と口頭で購入の意思を表して、売主がOK（承諾）の意思表示すれば、契約は成立します。

契約は、原則として、一方からの申込みの意思表示と、相手方の承諾の意思表示が合致した場合に成立します。

契約の成立には、原則として契約書や押印は不要です。

ワンポイントアドバイス

民法では、「無効」と「取消し」という言葉が登場しますが、意味の違いを理解しておきましょう。「無効」とは、最初から何も効力が生じないことで、「取消し」とは、いったん契約が有効に成立し、効力が生じたものを取り消すことで、その効力をなくすことです。契約が「無効」になる例として、❶公序良俗違反の行為、❷通謀虚偽表示などがあります。これに対し、「取消し」ができる例としては、❶制限行為能力者の行為、❷錯誤、❸詐欺、❹強迫などがあります。

意思表示（詐欺・強迫）

当事者（契約した者同士）の間で、正常な意思表示ができていれば、問題なく契約は成立しますが、もし、だまされたり、おどされたりして契約した場合はどうなるのでしょうか。このようなケースを民法ではどう扱うかみていきましょう。

だまされて契約をしたら取消しができる（詐欺の場合）

例えば、AがBにだまされてBに土地を売った場合、**Aはその契約を取り消すことができます**。しかし、Aがその契約を取り消す前に、Bがさらに土地をCに転売した場合、**Cが善意（AがBにだまされたという事情を何も知らないこと）で、かつ、過失がない（AがBにだまされたという事情を知りようもなかった）ときは、AはCから土地を返してもらえません**。なぜなら、だまされたAには落ち度があるので、Cを保護したほうがよいと考えられるからです。

おどされて契約をしたら取消しができる（強迫の場合）

例えば、AがBにおどされてBに土地を売った場合、強迫の被害者Aは、**その契約を取り消すことができます**。Bがさらに土地をCに転売した場合、AはCに、「土地を返してほしい」と、Cが善意（AがBにおどされたという事情を知らないこと）のときでも言えます。なぜなら、おどされたAの保護を優先させるほうが大切と考えられるからです。

第三者からだまされて契約した場合、取り消せないこともある！

例えば、Aが第三者Bにだまされて土地をCに売却した場合、相手方Cを保護する必要があるので、**Aは、Cが詐欺の事実を知っている（悪意）か、または知ることができた（有過失）ときに限り、取り消すことができます**。これに対し、Aが第三者Bにおどされて土地をCに売却した場合は、おどされた者を保護する必要があるので、**Aは、Cが強迫の事実を知っているかどうかにかかわらず（善意・悪意を問わず）、取り消すことができます**。

図1 詐欺と強迫

詐欺

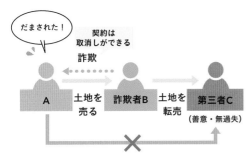

Aは善意・無過失のCに「土地を返してほしい」と言えない。
※Cが悪意または有過失の場合は言える。

強迫

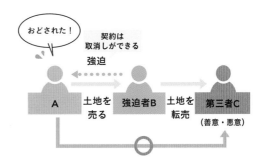

AはC（善意・悪意を問わず）に「土地を返してほしい」と言える。

第三者の詐欺

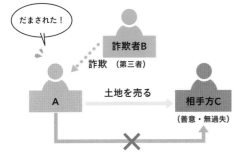

Cが善意・無過失なら、AはCに「土地を返してほしい」と言えない。
※Cが悪意または有過失の場合は言える。

第三者の強迫

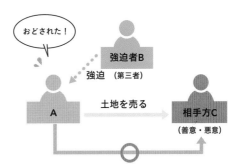

AはC（善意・悪意を問わず）に「土地を返してほしい」と言える。

┃ワンポイントアドバイス

民法では、「善意」と「悪意」という言葉が登場します。「善意」とは、「その行為について知らなかった」という意味で、「悪意」は、「その行為について知っていた」という意味です。「無過失」とは、「知りようもなかった」ということを意味し、「有過失」とは、「知ろうと思えばわかった」という意味です。

意思表示（心裡留保・虚偽表示・錯誤）

先ほどの「詐欺」や「強迫」以外にも、契約が無効や取消しになる場合があります。それが、①心裡留保（ウソをついて契約）、②通謀虚偽表示（誰かと通謀して契約）、③錯誤（カン違いをして契約）の3つです。

POINT 1 ウソや冗談の契約が有効かどうかは相手方の意思で決まる

心裡留保とは、例えば、Aがウソや冗談でBと売買契約をしたような場合です。心裡留保のAの意思表示（例えば、売ると言ったこと）は、**相手方Bが善意・無過失であれば原則として有効です**。なぜなら、ウソをつかれた者は、相手がウソを言ったとはふつう思わないですよね。ですから、その者を保護する必要があるのです。ただし、逆に**相手方Bがそのウソや冗談を知っていたり（悪意）、知ることができた（善意・有過失）場合には、無効となります**。

POINT 2 誰かとグルになって（通謀して）契約をしたら無効となる

通謀虚偽表示による意思表示とは、例えば、Aが土地の差押えを免れようとして、売る意思もないのにBとグルになって（通謀して）、土地の名義をBに移すために仮装の売買契約を行うことです。当然、この契約は無効です。しかし、Bが土地を**善意のCに転売した場合は、AはCにAB間の売買契約が無効とは言えません**。＊正確に言えば「無効」なのですが、その「無効」を第三者に対抗できないということです。

POINT 3 カン違いをして契約をしたらその契約は取消しとなる（錯誤の場合）

錯誤とは、例えば、Aがある土地を売るつもりで、カン違いで、売るつもりのない別の土地をBに売ってしまったというように、意思表示の重要な部分にカン違い（要素に錯誤）があった場合です。民法は、**錯誤がある意思表示は取り消すことができる**としました。ただし、BがAの錯誤に関して、悪意または重大な過失によって知らなかったとき、Aと同じ錯誤があるときを除き、**Aに重大な過失（重過失）がある場合には、契約は取消しができません**。

図1 心裡留保と虚偽表示、錯誤

心裡留保

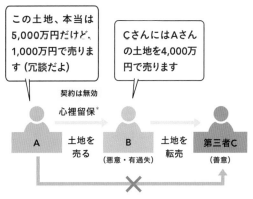

この土地、本当は5,000万円だけど、1,000万円で売ります（冗談だよ）

CさんにはAさんの土地を4,000万円で売ります

契約は無効
心裡留保*

A ── 土地を売る ── B（悪意・有過失）── 土地を転売 ── 第三者C（善意）

AはCに「土地を返してほしい」と言えない。
＊相手方Bが善意・無過失であれば、Aとの契約も有効となる。

心裡留保の発展

POINT1で、心裡留保による意思表示が無効になる場合（相手方Bが悪意または有過失の場合）、表意者Aは、その無効を善意の第三者Cに対抗（主張）できません。

虚偽表示

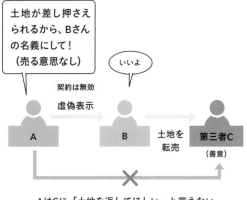

土地が差し押さえられるから、Bさんの名義にして！（売る意思なし）

いいよ

契約は無効
虚偽表示

A ── ── B ── 土地を転売 ── 第三者C（善意）

AはCに「土地を返してほしい」と言えない。
＊Cが有過失でも言えない。

錯誤

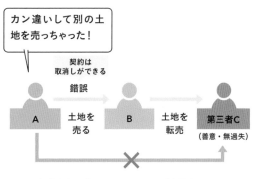

カン違いして別の土地を売っちゃった！

契約は取消しができる
錯誤

A ── 土地を売る ── B ── 土地を転売 ── 第三者C（善意・無過失）

契約を取り消しても、AはCに「土地を返してほしい」と言えない。
＊錯誤が表意者Aの重過失であれば、Bとの契約は取り消しできない。

ワンポイントアドバイス

「善意・有過失」とは、「知ろうとしていなかった」ことが原因で、「わからなかった」ということで、「善意・無過失」とは、「知ろうとしていた」のに、「わからなかった」という意味です。それぞれの意味の違いに注意しましょう。

権利関係

111

制限行為能力者

制限行為能力者とは、行為能力（契約等ができる能力）について一定の制限のある者をいい、①未成年者、②成年被後見人、③被保佐人、④被補助人の４つの種類があります。民法は、制限行為能力者の財産を保護するための規定を設けています。

未成年者が土地を売るには
親の同意が必要

未成年者とは、年齢18歳未満の者をいいます。未成年者が法律行為（契約等）をするには、原則として**法定代理人（親権者・未成年後見人）の同意を得るか、法定代理人が代理して行うことが必要です**。そうしないで単独で行った法律行為は、**取り消すことができます**。

成年被後見人が
保護者の同意を得た契約も取り消せる

成年被後見人とは、精神上の障害が重くて、家庭裁判所から後見開始の審判を受けた者をいい、成年後見人という保護者が付けられます。成年被後見人が単独で行った法律行為（契約等）は、**成年後見人から事前に同意を得た場合でも取り消すことができます**。成年後見人が事前に同意をしたとしても、必ずしも成年被後見人が適切な法律行為を行うことができるとは限らないからです。

制限行為能力者の取消しは
善意の第三者にも主張できる

例えば、未成年者Aが法定代理人の同意を得ずに不動産をBに売却し、Bがさらにその不動産をCに転売した場合、制限行為能力者側（未成年者自身や法定代理人）は、**AB間の売買契約の取消しの結果（無効）について、第三者Cに対抗（主張）することができる**のです。そうでなければ、制限行為能力者側に取消権を与えた意味が失われてしまうからです。

図1 制限行為能力者の取消し

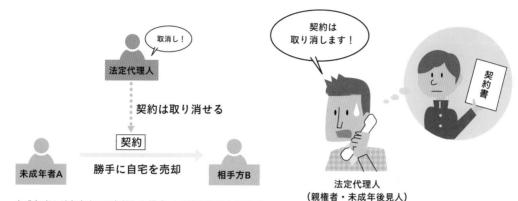

未成年者Aが自宅をBに売却した場合、Aの法定代理人は売買
契約を取り消せます。

図2 制限行為能力者の詐術（さ じゅつ）

制限行為能力者がした一定の契約でも、制限行為能力者本人が、自分を行為能力者で
あると信じさせるための詐術を、契約の相手方に行ったときは、取り消すことができ
なくなります。このような制限行為能力者を保護する必要はないからです。例えば、
未成年者が偽造の運転免許証を提示して自分を成年者だとだますような場合です。

┃ ワンポイントアドバイス

精神上の障害により判断能力を欠く人は家庭裁判所の後見開始の審判に
より、成年被後見人となります。審判が取り消されないかぎり、一時的に
判断能力が回復しても、成年被後見人のままですので、その間の行為も、
成年後見人の同意が必要です。

代理

代理には、法定代理と任意代理の2種類があります。法定代理とは、代理人が法律によって定められている場合で、例えば、未成年者の保護者等です。これに対し、任意代理とは、代理人が本人の依頼によって代理人になる場合です。

POINT 1 代理とは本人に代わって契約を行うこと

本人に代わって代理人が行った契約は、本人に契約の効果が帰属します。例えば、Aが土地を売りたいと考え、Bに代理権を与え（代理権の授与）、「自分の土地を売ってください」と頼み、BはAの代理人として、Cと売買契約を締結した（代理行為）とします。この場合、**Aを本人、Bを代理人、Cを相手方といい、本人Aと相手方Cとの間に売買契約が成立することになります。**

POINT 2 自己契約や双方代理、利益相反行為は原則無効

自己契約とは、代理人が契約の相手方になることで、双方代理とは代理人が本人と相手方の双方の代理人として代理行為をすることです。自己契約は、代理人が自分に有利な契約をして本人の利益を害するおそれがあり、双方代理は、どちらか一方の利益が害されるおそれがありますので、民法は無権代理として原則、無効としています。本人と代理人の利益が相反する行為も同じです。

POINT 3 代理人がさらに代理人を選任するのが復代理

復代理とは、代理人が代理権の範囲内の行為を行わせるために、さらに代理人を選任することです。復代理人の行為は本人に帰属します。代理人が復代理人を選任した後に復代理人が本人に不利益となる行為をした場合、復代理人を選任した代理人は、委任の内容などに応じて本人に対し責任を負うこともあります。

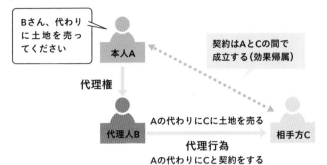

図1 代理

> Bさん、代わりに土地を売ってください

本人A

代理権

代理人B

Aの代わりにCに土地を売る

代理行為
Aの代わりにCと契約をする

相手方C

契約はAとCの間で成立する（効果帰属）

Aが土地を売るのにBに代理権を与えて土地を売ってもらいました。BはAの代理人として、Cと契約を結びますが、契約はAとCの間に成立します。

図2 自己契約、双方代理契約はともにNG！

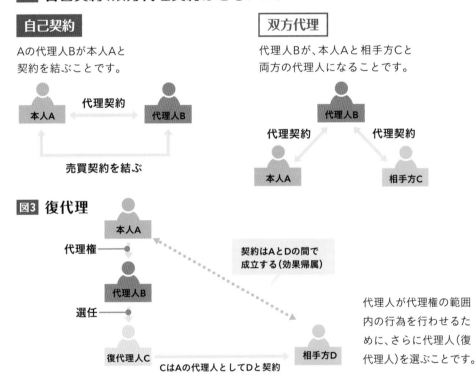

自己契約

Aの代理人Bが本人Aと契約を結ぶことです。

本人A ← **代理契約** → 代理人B

売買契約を結ぶ

双方代理

代理人Bが、本人Aと相手方Cと両方の代理人になることです。

代理人B

代理契約　　**代理契約**

本人A　　　　相手方C

図3 復代理

本人A

代理権 ●

代理人B

選任 ●

復代理人C　CはAの代理人としてDと契約

相手方D

契約はAとDの間で成立する（効果帰属）

代理人が代理権の範囲内の行為を行わせるために、さらに代理人（復代理人）を選ぶことです。

権利関係

┃ ワンポイントアドバイス

未成年者など制限行為能力者でも代理人になることができます。例えば、図1で代理人Bが制限行為能力者だった場合、相手方Cとの間で、損をするような契約をしてしまったとしても、被害を受けるのは本人Aです（本人Aと相手方Cとの間で契約が成立します）。それだと、本人Aが損するじゃないかって？　Aは自分で制限行為能力者を代理人に選んだのだからしかたありません。ただし、制限行為能力者が他の制限行為能力者の法定代理人（親権者など）としてした行為については、取り消すことができます。これは代理人を任意に選んだわけではないからです。

無権代理

代理権のない人が、代理行為をすることを無権代理といいます。この場合は、原則として代理は成立しません。無権代理人が勝手に契約を行ったのですから、その者がした契約の効果が生じないのは当然です。

POINT
1

無権代理行為は
本人が追認できる

本人が無権代理行為をそれでよいと追認(事後承諾)をしたときは、契約のとき(無権代理されたとき)にさかのぼって効力を生じます。つまり、**最初から有効な契約がされたものとみなされます。**

POINT
2

無権代理の相手方は
本人に催告できる

無権代理の相手方は、追認するか否かを、**相当の期間を定めて、本人に催告(催促)できます。**この催告権は、相手方が悪意の場合でも行使できます。この催告権の行使に対して、本人が期間内に確答しなかった場合は、本人は、**追認を拒絶したものとみなされます。**つまり、無権代理のままです。

POINT
3

無権代理人は相手方に対し
履行または損害賠償の責任を負う

無権代理人は、本人が追認をしない場合、無権代理の相手方の選択に従って、その相手方に対し、原則として**契約の履行または損害賠償の責任義務を負います。**ただし、次の場合は、契約の履行または損害賠償の責任義務を負いません。
❶無権代理人が制限行為能力者の場合
❷無権代理の相手方が、悪意または有過失(無権代理人が自己に代理権がないことを知っていた場合を除く)の場合

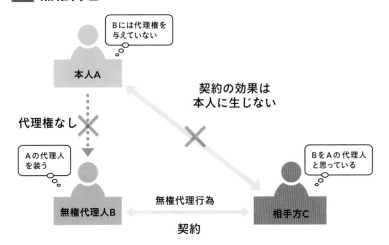

図1 無権代理

- Bには代理権を与えていない
- 本人A
- 代理権なし
- Aの代理人を装う
- 無権代理人B
- 無権代理行為
- 契約
- 契約の効果は本人に生じない
- BをAの代理人と思っている
- 相手方C

■ 表見代理

無権代理の場合でも、相手方から代理権があるように見える場合、その代理行為は有効な代理行為として扱われます。つまり、本人が責任を負うのです。これが表見代理です。ただし、以下の3つのいずれかに該当する場合のみとなります。

❶代理権授与の表示

本人が実際には代理権を与えていないのに、代理権を与えたことを表示していた場合。例えば、Aが「土地を売る代理権をBに与えた」とCに告げて、それを信じたCがBと売買契約を締結したが、このときにはまだAはBに代理権を与えていなかった場合や、Bが与えたとされる代理権の範囲を超えた行為をしたとき。

❷権限外の行為

一定の代理権を有する者が、実際の代理権の範囲を超えて代理行為を行った場合。例えば、Aは自分の所有する建物をCに貸したいと思い、賃貸借契約締結に関する代理権をBに与えたが、BはCとの間で売買契約を締結してしまった場合。

❸代理権消滅後

代理権の消滅後に、なお代理人としてかつての代理権の範囲内、または範囲外の行為をした場合。

┃ ワンポイントアドバイス

表見代理が成立するには、まず、相手方が善意・無過失（範囲内の行為）、相手方が無権代理人に代理権があると信じ、そう信じることについて正当な理由があるとき（範囲外の行為）であることなどが必要です。

時効について

時効とは、ある事実状態が一定期間にわたって続いた場合に、その継続した状態を、正しい権利に基づくものとして扱うことを法律で認める制度です。時効の種類には、取得時効と、消滅時効の２つがあります。

POINT 1

一定期間、他人の土地を占有すると取得時効が認められる

一定期間、他人の土地を自分の土地のように使用し続けると、その土地を時効により取得、つまり本当に自分のものとすることができる制度が取得時効です。では、一体どのくらいの期間を使用し続けたらよいのでしょうか。これは、**当初に自分の土地と信じて使用（占有）を始めた場合は10年、最初から他人の土地とわかって使用を始めた場合は20年**です。

POINT 2

時効取得には援用（主張）が必要

土地を時効取得するには、時効が完成したことを主張しなければなりません。このように時効を主張することを、「時効の援用」といいます。仮に、10年あるいは20年の間土地を占有して、時効により土地を取得できる要件が整っても、占有者が時効の援用をしなければ自動的に所有権が占有者に移るものではありません。

POINT 3

借金が帳消しになる時効もある（消滅時効）

例えば、お金を借りた場合、貸し手が10年間請求をしないと、借り手は時効を援用することによって、借金を帳消しにすることができるのです。こうした時効を消滅時効といいます。債権、債務が消滅するからです。

図1 時効の効果が認められるまで

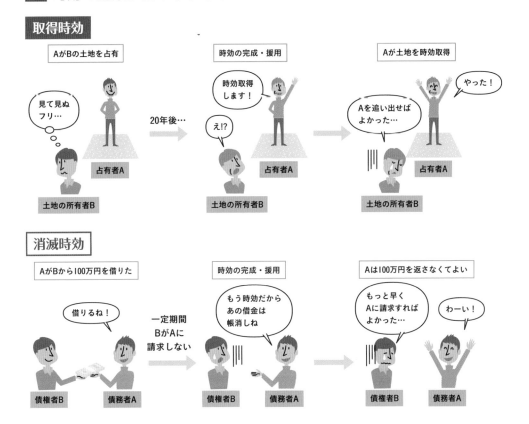

取得時効

AがBの土地を占有 → 20年後… → 時効の完成・援用 → Aが土地を時効取得

消滅時効

AがBから100万円を借りた → 一定期間BがAに請求しない → 時効の完成・援用 → Aは100万円を返さなくてよい

表1 時効の完成猶予・更新

では、占有者や債務者に時効を完成させたくない場合は、どうしたらよいでしょうか?

まず、時効の進行を一定期間止める方法があります。これを「時効の完成猶予」といいます。例えば、訴訟などの「裁判上の請求」を行うと、時効の完成が猶予されます。そして裁判によって土地所有者や債権者の権利が確定すると、時効は振り出しに戻ります。この振り出しに戻って新たに時効の進行が始まることを「更新」といいます。

<table>
<tr><th colspan="4">時効の完成猶予・更新</th></tr>
<tr><td rowspan="4">請求</td><td>裁判上の請求</td><td rowspan="4">完成猶予</td><td rowspan="4">権利が確定すると更新</td></tr>
<tr><td>支払督促</td></tr>
<tr><td>和解の申立て</td></tr>
<tr><td>破産・再生・更正手続参加</td></tr>
<tr><td>催告</td><td></td><td rowspan="2">完成猶予</td><td></td></tr>
<tr><td>協議を行う旨の合意</td><td></td><td></td></tr>
<tr><td>強制執行等[※]</td><td>強制執行等</td><td>完成猶予</td><td>手続き終了後に更新</td></tr>
<tr><td>仮差押え、仮処分</td><td>仮差押え、仮処分</td><td>完成猶予</td><td></td></tr>
<tr><td>承認(一部弁済、支払い猶予願いなど)</td><td></td><td colspan="2">更新</td></tr>
</table>

※強制執行等(判決等に基づいて執行官が差押え、不動産の明渡しなどを行うこと)

売買契約の意義

売買契約とは、当事者の一方がある財産権を相手方に移転することを約束して、相手方がその対価として代金を支払うことで成り立つ契約です。売買契約の当事者は、売主と買主です。

POINT 1

契約は守らなくてはならない

例えば、土地の売買契約をしたとすると、売主には土地を引き渡す義務、買主には代金を支払う義務が発生します。いったん契約した以上、正当な理由がなくこの契約に違反することは許されません。**契約どおりのことを行わないこと、あるいは行えないことを、債務不履行といいます。**契約の相手方が債務不履行をした場合、正当な理由がなければ損害賠償の請求をしたり、契約の解除（債務不履行に正当な理由があっても）ができます。契約が解除されたら、各当事者は原状回復、つまり元の状態に戻す義務があります。土地の引渡しを受けていたら、土地を返し、お金を返してもらうなどが原状回復にあたります。

POINT 2

債務不履行の種類

債務不履行には**履行遅滞**（約束の期日に遅れる）、**履行不能**（失火により引渡し予定の家が消滅など）、**不完全履行**（家を引き渡したが未完成だった、仕様と異なったなど）の種類があります。

POINT 3

手付解除

不動産の売買契約では、契約の成立時に手付金の受渡しを行うことがほとんどです。ある期間内であれば、買主は支払った手付けを放棄することで無条件に契約を解除でき、売主も受け取った手付金に加えて、同額の金銭を加えて、買主に返すことにより契約を解除できます。これを**手付放棄、手付倍返し**といいます。ただし、この**手付解除ができる期間は、「相手が契約の履行に着手するまでの期間」**とされており、いつまでもできるわけではありません。

図1 解約手付──手付放棄・手付倍返し

解約手付で売主側が売買契約の解除を行う場合、売主は受け取った手付金を単に返還するのではなく、手付金の倍返しが必要となります。例えば、売主Aと買主Bの売買契約の場合、買主Bが手付金100万円を交付しているとすると、買主Bは手付金100万円を放棄すれば解除できますが、売主Aは、買主に倍額の200万円を現実に提供しなければ解除できません。

倍返しは現実の提供が必要！

買主Bが手付金100万円を交付している場合

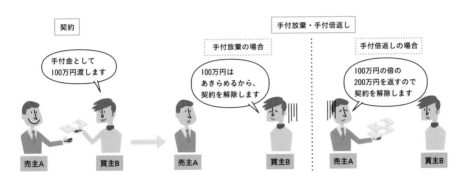

図2 契約の解除と第三者

AがBに建物を売却して、BがCにその建物を転売したとしましょう。このとき、AとBの間の契約が解除されたら、Cの建物の所有権はどのようになるのでしょうか？　A、Bには原状回復義務があるので、BはAに建物を返す義務がありますが、法律では、こうした原状回復は、第三者であるCの権利を害してはならない、とされています。つまり、Cの土地の所有権は失われないことになります。判例では、Cが建物の登記をしていれば、Aに対して所有権を対抗できます。

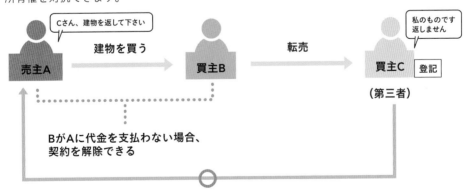

売主の契約不適合責任

売買契約に基づき、売主は目的物を引き渡す義務が発生します。しかし、引渡しが行われても、その目的物の種類や品質、数量などが契約に適合していなかった場合、売主は契約不適合責任を負います。これは、売買契約に適用される規定です。

何が請求できるのか？

契約どおりの目的物を引き渡してもらえなかった買主は、**代替物**（正しい品物、壊れていない品物）や**不足分の引渡しの請求**、**目的物の修補（補修）による履行の追完**の請求ができます。また、これらがされない場合は、**代金の減額請求**ができます（買主に責任のある場合を除く）。また、それとは別に**損害賠償の請求**（売主に責任があるとき）と**契約の解除**（売主に責任がなくても）が可能です。

請求できる期間

種類または品質が契約の内容に適合しない目的物を引き渡された買主がPOINT1の請求をするには、**「契約の内容に適合しないこと（契約不適合）」を知ってから1年以内に売主にその旨を通知することが必要**です。もし、買主が不適合を知った時から1年以内に売主に通知しなかった場合は、POINT1の請求はできません。ただし、売主が引渡しのときに不適合を知っていた、または重過失で知らなかった場合は、請求することができます。

特約での排除は可能

契約不適合責任については、宅建業法など他の法律に抵触しなければ原則として**特約で排除が可能**です。例えば、「売主は補修のみ行い、損害賠償義務は負わない」とか、「売主は一切の契約不適合責任を負わない」などです。しかし、このような特約をつけても、**売主が知りながら告げなかったような契約不適合については、責任を免れることはできません。**

表1 契約不適合責任についてのまとめ

どのような場合に責任が問われるか	目的物が種類、品質または数量に関して契約の内容に適合しない場合 →買主は善意・悪意に関係なく請求可能
何が請求できるか	目的物の修補、代替物の引渡し、不足分の引渡し（履行の追完請求） →これらができないときは、不適合の程度により代金の減額請求ができる →買主に責任（帰責事由）がある場合は、これらの請求はできない
買主の損害賠償の請求	契約どおりの目的物を引き渡してもらえなかった場合は可能 →売主に帰責事由がない場合、損害賠償責任はない
契約の解除	軽微なものを除き、催告しても履行がない時は可能 （履行不能などの場合は催告不要） →売主に帰責事由がなくても可能 →買主に帰責事由がある場合は不可能
請求できる期間	買主が知った時から1年以内に売主に通知する （目的物の種類または品質に関する不適合の場合） →知った時から5年、引渡しから10年で時効
特約	契約不適合責任は特約で排除が可能 →契約不適合責任を負わない旨の特約は有効 →宅建業法など他の法令に抵触する特約は無効 →売主が知りながら告げなかった契約不適合については特約は無効 →損害賠償額の予定の特約も有効

権利関係

▌ワンポイントアドバイス

契約不適合責任を負わない特約について解説します。契約不適合責任についての規定は任意規定ですから、売主は担保責任を一切負わないとしたり、民法上規定された責任を変更することができます。任意規定とは、当事者の合意で修正できる規定のことです。ただし、売主が契約不適合があることを知りながら買主に告げなかった場合や、売主が地上権などの権利を自ら第三者に設定したり、目的物を譲渡して他人物にしたなど、契約不適合状態を作り出した場合は、特約により契約不適合責任を免れることはできません。

権|利|関|係

10 賃貸借契約

賃貸借契約は、モノを貸し借りする契約です。賃貸人（貸主）は賃借人（借主）が目的物を使用できるように目的物を引き渡し、第三者の妨害行為を排除したり、修繕する義務があります。賃借人は、賃料を支払う義務などがあります。

賃借権の譲渡・転貸借

賃借人が、賃借人の立場を他人に譲渡することを、「賃借権の譲渡」といいます。賃借権が譲渡されると、新しい賃借人と賃貸人の間の契約となります。**「転貸借」は、いわゆる「又貸し」**です。この場合、賃借人と転借人の間に賃貸借（転貸借）契約が生まれますが、賃貸人と賃借人の間の契約は残ります。賃貸人は賃借人が賃料を払わないような場合は、転借人に賃料を請求できます。賃貸借契約の期間満了や、賃借人の債務不履行を理由として賃貸借契約が解除されると、転貸借の契約も終了しますが、合意による賃貸借契約の解除の場合は、転借人に解除を対抗できません。

賃借権の譲渡・転貸借には賃貸人の承諾が必要

賃貸人の承諾なく賃借権を譲渡したり、転貸を行うと、賃貸借契約を解除される場合があります。しかし、そのような無断の行為が賃貸人との信頼関係を損ねるような「背信的行為」とまではいえない特段の事情がある場合は、契約の解除権は発生せず、有効な賃貸借権の譲渡、転貸借があったものとされます。

賃借人の修繕権

賃貸借の目的物の修繕が必要な場合は、**原則として賃貸人に修繕の義務があります。**しかし、賃貸人が行おうとしない場合などは、賃借人が修繕を行いその費用を賃貸人に直ちに請求することができます。

図1 賃借権の譲渡

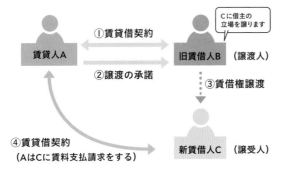

賃借人Bは、賃貸人Aの承諾を得なければ、賃借権の譲渡はできません。

図2 転貸借

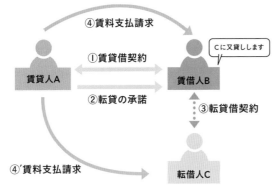

賃借人Bは、賃貸人Aの承諾を得なければ、Cに賃借物の転貸はできません。
賃貸人Aが賃借人Bに賃料を請求して（④）、Bが賃料を支払わないと、転借人Cに請求できます（④′）。

図3 敷金とは

賃貸借契約において、賃借人が負担すべき一切の費用を担保する目的で、賃借人から賃貸人に支払われる金銭です。例えば、賃借人Bが賃貸人Aに敷金を交付していた場合、BがAの承諾を得て建物の賃借権をCに譲渡したら、敷金返還請求権も移転してしまうのでしょうか？

この点、もともと敷金は賃借人Bが支払ったものなので、Cに敷金返還請求権は移転しません。賃貸人Aは、新賃借人Cに新たに敷金を請求すればよいのです。一方、賃貸人Aが賃貸借の目的物をDに譲渡した場合は、敷金返還義務も目的物の譲受人Dに移転します。

BはAから敷金を返してもらえます。
CはAに敷金を支払います。

目的物の移転と同時に、敷金はAからDに移転します。
→BはDから敷金を返してもらえます。

権|利|関|係 11

物権変動

物権とは物を直接的に支配する権利のことです。この物権には、所有権、担保物権（抵当権など）があります。物権変動とは、例えば所有権が移ることです。

土地の所有権は売買契約と同時に移転する

土地の売買契約を行うと、所有権移転時期に関して特段の定めをしない限り、**売買契約の成立と同時に土地の所有権は売主から買主に移転**します。つまり、**所有権の移転登記をしなくても所有権は移転します。**

所有権の移転を第三者に対抗するには「登記」が必要

Aが、BとCに土地を二重譲渡したとします（右ページ図1）。つまり、同じ土地に関してAはBとも、Cとも売買契約を交わしたのです。このとき、BとCはこの土地の所有権をめぐって対抗関係にあります。**どちらが土地の所有権を主張できるかは登記を備えているかによって決まります。**つまり、土地の所有権移転登記をしたほうが勝ちなのです。このように売買の当事者以外の者に自分の権利を主張するには、登記が必要となるのです。

登記は絶対ではない！

POINT 2で解説したように、登記は重要な意味を持ちますが、登記は絶対ではありません。例えば、Dが書類を偽造するなどして、Eの土地を自分名義で登記したとします。このとき、**登記があることからDをその土地の所有者と信じて、Dと土地の売買契約を行った買主のFはこの土地を取得することはできません。**Dはその土地の真の所有者ではないからです。

図1 二重譲渡

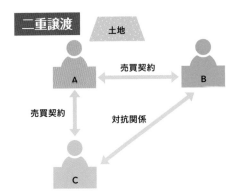

Aが、BとCに土地を二重譲渡したケースです。BとCは対抗関係になり、先に登記を備えたほうが土地の権利を主張できます。ここで、Bが先に登記を備えたとすると、Cは土地の所有権を取得できません。AとCの売買契約は、Cに土地を引き渡せなかったAの債務不履行となります。この場合、CはAの債務不履行責任を追及できます。

■ 第三者の範囲

第三者に当たる者（登記をしないと対抗できない）
❶二重譲渡の買主（図1のBとCの関係）
❷不動産の賃借人　など

第三者に当たらない者（登記がなくても対抗できる）
❶無権利者
❷不法占拠者・不法行為者
❸背信的悪意者
❹詐欺または強迫によって登記の申請を妨げた者
❺他人のために登記を申請する義務がある者

ワンポイントアドバイス

背信的悪意者とは、図1でCがBを困らせてやろうとか、Bがどうしてもその土地を欲しがっているのを知って、高値でBに売りつけようとするなどの目的で、土地を取得して登記をするような、いやがらせをする人のことです。この場合、Cは単にAとBの契約を知っているという「悪意」にとどまらず、「背信的悪意者」とされます。背信的悪意者であるCは、登記を備えてもBに権利を主張できません。Cは道義に反するような行為をしているからです。

抵当権（担保物権）

銀行からお金を借りるときに、土地や建物に抵当権というものを設定することがあります。債務者がお金を返せなくなると、銀行は、抵当権の対象の土地や建物を差し押さえ、競売にかけ、その売却代金を貸付金の弁済に充てます。

POINT 1 抵当権があると、債権者は優先的に弁済を受けることができる

抵当権の設定をしなくても、債務者が借金を返せなくなると債権者は債務者の土地や建物を競売にかけて売却し、その代金を債権者で分配できます。この時の分配額は、それぞれが貸し付けたお金の額の比率で決まります。**しかし、土地や建物に抵当権をつけた者は土地や建物の売却代金から、先に自分の貸し付けたお金を返してもらえます。**ほかの債権者はその残りから返してもらいます。

POINT 2 抵当権は登記しなければ、第三者に対抗できない

抵当権は、抵当権設定契約により設定されます。自分の土地や建物に抵当権を設定する者を抵当権設定者、お金を貸しているほう（銀行などの債権者）を抵当権者といいます。通常、抵当権設定者は債務者ですが、父親が息子の借金のために自分の土地に抵当権を設定するというように、債務者以外の第三者が抵当権設定者になることもあります。抵当権設定契約自体は、登記がなくても成立しますが、**抵当権の存在を他の債務者に対抗し、優先弁済を受けるためには登記が必要**です。

POINT 3 抵当権を設定した建物が火災で消滅したら保険金を差押えできる

抵当権の効力は、火災保険の請求権にも及ぶとされており、**抵当権者は保険金を差し押さえることができます。**また、建物を売却した場合は、その代金を差し押さえることも可能で、抵当権の目的物がアパートなどの場合、債務者が返済できなくなると、アパート自体を差し押さえる代わりにその賃料を差し押さえることもできます。これらを物上代位といいます。

図1 抵当権の設定と物上保証人

抵当権の設定

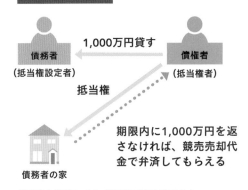

期限内に1,000万円を返さなければ、競売売却代金で弁済してもらえる

抵当権を設定しても、債務者は家を使えます。

例）Aが1,000万円、Bが500万円を貸している場合

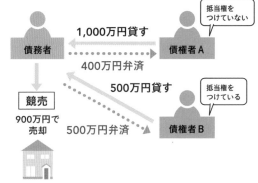

債務者が返済できなくなると、抵当権をつけているBはAよりも優先的に売却代金から返済してもらえます。

物上保証人

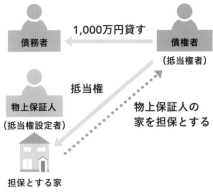

債務者のために自分の家に抵当権設定を行った人を「物上保証人」といいます。

図2 物上代位

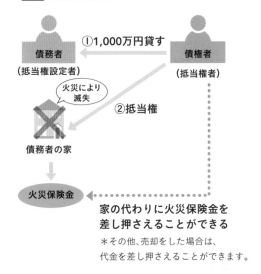

家の代わりに火災保険金を差し押さえることができる

＊その他、売却をした場合は、代金を差し押さえることができます。

ワンポイントアドバイス

抵当権の目的物にできるのは、土地、建物、地上権、永小作権に限られます。賃借権には抵当権を設定することはできないので注意しましょう。抵当権の効力は、原則として、抵当不動産に付加して一体となっている物（付加一体物）に及びます。つまり、一緒に競売にかけることができるということです。具体例として、❶不動産の構成部分（雨戸、立木、庭石など）、❷抵当権設定時の従物（畳、建具など）が挙げられます。

その他の担保物権

担保物権には、法律で定められた法定担保物権と、当事者同士の合意で成立する約定担保物権があります。すでに学んだ抵当権は約定担保物権であり、今回学習する留置権、先取特権は法定担保物権、質権は約定担保物権です。

留置権

留置権とは、例えば、時計の修理をした時計屋さんが、修理代金をもらうまでは相手に修理した時計を引き渡さないという権利です。この権利は第三者にも対抗できます。例えば、時計の持ち主がその時計を第三者に売却したとしても、時計屋さんは修理代が受け取れないのであれば、その時計を当該第三者に引き渡すことを拒めます。

先取特権

先取特権は、文字どおり「先に取ることのできる特権」です。例えば、未払い賃金です。未払い賃金は他の債権に優先して回収することができます。また、マンションの管理費なども同様で、管理組合が他の債権者に優先して回収することができます。不動産の場合、例えば、リフォーム工事をする業者は、あらかじめ費用を先取特権として登記することにより先取特権の効力が保存されます。このリフォーム工事の先取特権は抵当権に優先します。

質権

質権は、「質」という字がついているように、「質屋」をイメージすればよいでしょう。例えば、「自分の土地を担保として相手に差し出し、お金を借りる」ようなイメージです。もし、お金を借りた人（債務者）がお金を返せなくなれば、お金を貸した人（債権者）は土地を競売にかけて、貸付金を回収することができます。質権を第三者に対抗するには登記が必要です。抵当権に似ていますが、**質権では相手に質権の対象となる目的物を引き渡すことが必要であり、そこが抵当権との大きな違い**です。

図1 担保物権の種類

留置権

お財布忘れちゃった…

修理代金を頂くまでうちでお預かりします

例）修理代金をもらうまで、時計屋さんが修理した時計を相手に引き渡さない権利

先取特権

先に未払い賃金払ってください！

回収

例）会社の従業員が未払い賃金を他の債権に優先して回収する権利

質権

担保として差し出す

土地

貸付金

債務者　債権者

債務者がお金を返せなければ債権者は土地を競売にかけて貸付金を回収できる

例）ある人がお金を借りるために担保として土地を差し出し、もしお金を返せなかったら、お金を貸した人（債権者）がその土地を競売にかけて貸付金を回収できる権利

表2 先取特権の種類

先取特権には、債務者のすべての財産を目的とする一般先取特権と、特定の動産を目的とする動産先取特権、特定の不動産を目的とする不動産先取特権の3つがあります。そして、不動産先取特権には以下の3つがあります。宅建士試験では、これが重要です。

❶不動産保存の先取特権	不動産の滅失・損傷を防止するために要した費用を担保するための権利
❷不動産工事の先取特権	不動産の工事費用の債権を有する工事の設計者や施工者などに認められた権利
❸不動産売買の先取特権	不動産を売却した売主が、その代金を受領する前に売買の目的となった不動産を買主に移転したときは、その代金および利息に関して、その不動産の売主に存在する権利

ワンポイントアドバイス

ここで先取特権と抵当権の優劣について解説しましょう。登記された不動産保存の先取特権および不動産工事の先取特権は、それより前に登記された抵当権にも優先します。なぜなら、保存の費用は抵当不動産の価値を維持したのであり、工事費用は抵当不動産の増加についてだけ優先権があるにすぎないのだから、これらを優先させても、抵当権者は損害を受けないからです。

権利関係

保証契約

保証契約とは、他人の負う債務（借金など）の履行を担保するために、債権者と債務者以外の者（保証人）との間で結ぶ契約です。債務者が借金を返せなくなると、保証人が債務者に代わってその返済義務を負います。

POINT 1 保証人には抗弁権がある

債務者がお金を返さなくなり、債権者から保証人に催告がきたとします。このとき**保証人は、「まず、債務者から取り立てろ」と主張できます**。また、債務者の財産などを調べて返済能力があることを証明することで、**「先に、債務者の財産などについて差押えなどを実行しろ」と主張できます**。これを保証人の抗弁権といいます。これは、まず先に返済をするのは債務者であり、それが果たされないときに保証人が責任を負うという考え方があるからです。

POINT 2 連帯保証人には抗弁権がない

単なる保証債務と異なり、連帯保証は保証人が債務者と連帯して債務を負担します。連帯保証人にはPOINT1の抗弁権（簡単に言うと、請求を拒む権利）がありません。したがって、**債務者がお金を返さない場合など、債権者は、最初から連帯保証人に請求したり、連帯保証人の財産を差し押さえたりすることができます**。つまり、連帯保証の場合には、先に返済をするべきなのは債務者であるという考え方はとられていません。

POINT 3 主たる債務がなくなれば保証債務はなくなる

債務者が借金を返済したら、保証債務は消滅します。また、債権譲渡などで債権者が変わった場合は、保証契約もそれとともに移転します。債務者の債務の額が減少すれば、保証人の保証する債務の額はそれにともない減少しますが、保証契約をした後で、債務者の借金の額が増加しても、保証人の保証債務は増えません。保証人が債務者に代わって借金などを返済した場合は、保証人は債務者に対し、「自分が支払った分を返せ」と請求できます。

図1 保証契約

主たる債務者Bが債務（借金）を返済しない場合、保証人Cが返済する義務を負います。
保証契約は、AとCとの間の契約であり、BとCの間には契約関係はありません。

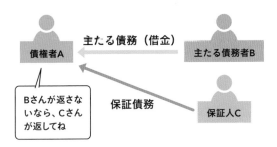

債権者A　←　主たる債務（借金）　主たる債務者B

Bさんが返さないなら、Cさんが返してね

保証債務　保証人C

図2 共同保証とは

同一の主たる債務について数人の保証人がある場合を「共同保証」といいます。共同保証の複数の保証人には、債権者に対して平等の割合で分割された額についてのみ保証債務を負担すればよいという分別（ぶんべつ）の利益が認められています。例えば、下左図のように、主たる債務者Bの債務額1,000万円の普通保証の保証人CとDによる共同保証の場合、分別の利益が認められますから、保証人CとDの負担額は500万円ずつということになります。しかし、連帯保証人には分別の利益がありませんので、下右図のように、共同の連帯保証の場合は、連帯保証人CとDのそれぞれが主たる債務者Bの債務額1,000万円を全額負担することになります。債権者Aは連帯保証人CとDのどちらに1,000万円を請求してもよいのです。連帯保証のほうが、債権者にとっては有利な制度ですね。

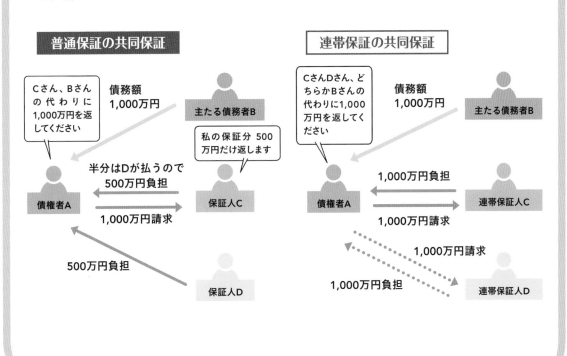

普通保証の共同保証

Cさん、Bさんの代わりに1,000万円を返してください

債務額1,000万円　主たる債務者B

私の保証分500万円だけ返します

半分はDが払うので500万円負担

債権者A　保証人C

1,000万円請求

500万円負担

保証人D

連帯保証の共同保証

CさんDさん、どちらかBさんの代わりに1,000万円を返してください

債務額1,000万円　主たる債務者B

1,000万円負担

債権者A　連帯保証人C

1,000万円請求

1,000万円請求

1,000万円負担　連帯保証人D

権利関係

133

不法行為

交通事故で他人にケガをさせたり、相手の所有物を壊した、ケンカをして相手にケガさせたというように、法律行為によらず故意または過失により相手の権利を侵害するような場合を不法行為といいます。

被害者は損害賠償を請求できる

被害者や法定代理人は損害額に基づいて損害賠償を請求することができます。被害者側にも過失があるようなケースについては損害賠償額からその分が差し引かれます。これを**過失相殺**といいます。また、損害賠償の請求には時効があり、不法行為による損害があったことを知った日、もしくは加害者を知った時から3年（死亡やケガなど身体への侵害は5年）、あるいは不法行為から20年です。

従業員が不法行為を行うと会社が責任を負う場合がある

例えば、不動産会社の従業者がお客さんを車に乗せて物件の案内をしているときに事故を起こしたとします。この場合、従業員以外に会社も損害を受けた事故の相手方などから損害賠償を請求されることがあります。これを**使用者責任**といいます。会社が損害賠償を行った場合は、社員に信義則上相当と認められる額（お互いの信頼を裏切らない程度の額）を請求することができます。

建物の壁からタイルが落下して通行人にケガをさせたら？

このようなケースでは建物を実際に利用している占有者（賃借人や所有者）がまず損害賠償の責任を負います。しかし、占有者が損害防止のための注意義務を果たしているならば、建物の所有者が損害賠償責任を負うことになります。この場合、**所有者は過失がなくても責任を負います。**

図1 使用者責任と土地工作物責任

使用者責任

宅建業者Aの従業者Bが、
Cを誤って車ではねた場合

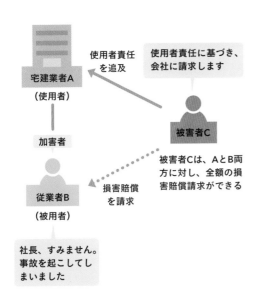

土地工作物責任

建物の壁が崩れて、
通行人Cがケガをした場合

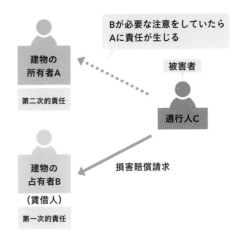

図2 不法行為の損害賠償請求と相殺

BはAに100万円を貸していたが、
自動車事故でAにケガをさせてしまった場合

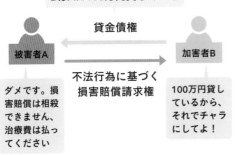

例えば、左の図のように、自動車事故（不法行為）の加害者BのAに対する自己の債権（Aに100万円を貸したなど）と、被害者Aの損害賠償債権との相殺（チャラにすること）をBに認めると、被害者Aは、加害者Bに損害賠償請求をすることができなくなってしまいます。そこで民法は、両債権が相殺適状（チャラにできる状況にあること）にあっても、相殺が許されないとしています。

＊相殺が許されないのは、悪意による不法行為に基づくもの、人の生命または身体を害する場合の損害賠償の債務です。

＊被害者の側からは相殺できます。

権|利|関|係

16

相続

相続とは、人が死んだときにその被相続人の財産や権利、義務を相続人に承継させるものです。相続人となれるのは原則として配偶者、子、両親などの尊属、兄弟姉妹です。

POINT **1**

法定相続人と相続分

配偶者は常に相続人となります。そして子がいれば子(直系卑属)が相続人となります。子がいない場合は、両親(直系尊属)が相続人となります。尊属もいなければ、兄弟姉妹が相続人となります。ほかに誰も相続人がいなければ、死亡者の財産は国庫に帰属します。法定相続分は、次のとおりです。

●配偶者と子(直系卑属)……**配偶者1/2、子1/2**
●配偶者と直系尊属…………**配偶者2/3、直系尊属1/3**
●配偶者と兄弟姉妹…………**配偶者3/4、兄弟姉妹1/4**

POINT **2**

相続人は一定期間内に相続の承認または放棄をしなければならない

具体的には、相続人は**相続開始を知った時から3カ月以内**に、❶**単純承認**、❷**限定承認**、❸**相続放棄**といった3つの意思表示のうち、どれかをしなければなりません。それぞれの方法については、右ページの表1を参照してください。

POINT **3**

遺言者はいつでも遺言を撤回できる

遺言は**15歳**になればすることができます。**成年被後見人**の場合は、事理を弁識する能力を一時回復した時に**医師2人以上の立会い**のもとですることができます。前の遺言が後の遺言と抵触するときは、その抵触する部分については、**後の遺言で前の遺言を撤回したものとみなされます**。遺言者が故意に遺言書を破棄したときは、その破棄した部分についても同様です。

図1 相続人と順位

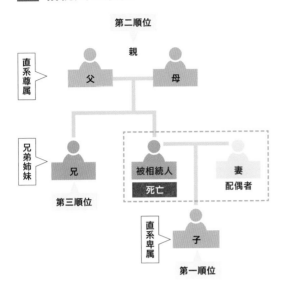

配偶者は常に相続人となりますが、それ以外の者には順位があります。
第一順位…子（直系卑属）、その代襲相続人*
第二順位…父・母、祖父、祖母など（直系尊属）
第三順位…兄弟姉妹、その代襲相続人*

*代襲相続人とは、相続人となるはずだった者が相続開始以前に死亡などの理由で相続できなくなった場合、その者の代わりに相続する直系卑属である子などのことです。

法定相続分のパターン
●配偶者と子⇒配偶者1/2、子1/2
●配偶者と直系尊属⇒配偶者2/3、直系尊属1/3
●配偶者と兄弟姉妹⇒配偶者3/4、兄弟姉妹1/4

表1 相続の承認と放棄の方法

❶単純承認	相続人が被相続人の権利義務の全てを相続すること。相続人が、3カ月以内に単純承認、限定承認、相続放棄をしなかった場合や、相続財産の全部または一部を処分したときは単純承認をしたとみなされる
❷限定承認	相続財産の範囲内で被相続人の債務などを弁済し、残りがあればその財産を引き継ぐこと。相続人が複数いる場合は、全員で共同して限定承認を行う
❸相続放棄	権利も義務もすべて放棄する。なお、相続開始前に相続放棄をすることはできない

表2 遺留分侵害額請求権

遺言書に誰かに全ての財産を譲る、という記載があったとします。このように書いてあったとしても法定相続人は、遺留分と呼ばれる一定の割合については、金銭の支払いを主張できます。これを遺留分侵害額請求権といいます。

遺留分の割合	
原則	相続財産の1/2にあたる金銭
直系尊属のみが相続人の場合	相続財産の1/3にあたる金銭

＊兄弟姉妹は遺留分に関する権利はありません。

権利関係

借地権（借地借家法）

物の賃貸借には民法の規定が適用されますが、建物を建てるために土地を借りる場合には、借りる人の権利をより強く守るために特別の法律が定められています。それが借地借家法です。

POINT 1 借地権とは

借地権とは、自分の建物を建てるために土地を借りる（賃借）、あるいは地上権を得ると発生します。逆にいえば、土地を借りて駐車場を作っても借地権は発生しません。賃借権と地上権の一番大きな違いは、その権利を自由に譲渡できるかどうかです。**地上権は自由に譲渡できますが、賃借権は貸主の承諾なく譲渡はできません。**

POINT 2 借地権の存続期間（普通借地権）

借地権の**最初の契約（通常、建物を新築するとき）で定めることのできる存続期間は最短で30年**です。これより長い期間を契約で定めることは問題ありません。しかし、30年未満の契約は無効となり、存続期間は30年になります。一方、上限に関しては民法では賃貸借契約の上限は50年ですが、借地借家法では上限はありません。

POINT 3 定期借地権

定期借地権とは、一定期間の経過により、土地が返還される契約形態の借地権のことです。定期借地権には、❶一般定期借地権、❷事業用定期借地権、❸建物譲渡特約付借地権の3つがあります。これら3つの定期借地権は、**あらかじめ定めた借地期間が経過すれば確定的に借地関係が終了する**点において共通ですが、それぞれ目的などが異なることから、要件や手続きは異なります（詳しくはP141参照）。

図1 借地契約の当事者

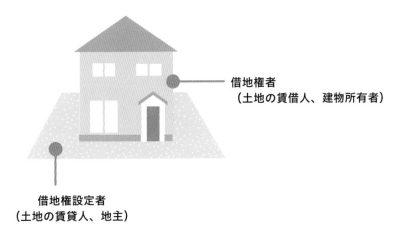

借地権者
（土地の賃借人、建物所有者）

借地権設定者
（土地の賃貸人、地主）

■ 借地権の定義

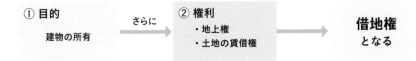

① 目的
建物の所有

さらに

② 権利
・地上権
・土地の賃借権

借地権
となる

表1 借地権の存続期間

存続期間を定めなかった場合	30年
存続期間を30年未満とした場合	30年（30年となる）
存続期間を30年より長く定めた場合	約定は有効でその期間

＊最初の契約期間が満了し、その後も同一の契約を引き続き継続させることを更新といいます。初めての更新のときは20年、さらにその後の更新のときは10年が最短の存続期間となります。

┃ ワンポイントアドバイス

民法の原則では、土地の賃借権や地上権を第三者に対抗するには登記が必要です。しかし、土地の賃貸借契約などは貸主が登記に協力してくれず、賃借権の登記がされていないケースが多いのです。この点、借地借家法では、借地上の建物に、借地権者が自分名義で登記をしていれば、借地権を借地の譲受人などの第三者に対抗できるとしています。

権利関係

借家権（借地借家法）

借地借家法では、家や建物を借りる場合にも、借家権によって、借りる人（賃借人）の権利が保護されます。家などの建物を借りる行為が賃借人にとっては重要なため、賃貸人と賃借人の力関係を平等に保つことを目的としています。

借家権とは？

ここでいう借家権とは、借地借家法の適用を受ける建物の賃借権をいいます。この場合の「賃借権」と認められるためには、❶対象が建物であること、❷契約が賃貸借であることが必要です。例えば❶について、ビルのピロティのオープンスペースで営業している生花店は建物ではないので、借地借家法の適用外となります（判例）。❷については建物を借りるのに有償であることが必要です。

借家権の
対抗力・承継など

借家権は債権であり**賃貸人の承諾がないと登記できません**が、**登記がなくても建物の引渡しを受けていれば第三者に対抗できます**。また財産権として認められるため、相続も可能です。譲渡・転貸も可能ですが、賃貸人に無断で借家権を譲渡・転貸することはできません。

借家権の
存続期間・更新など

借地権のような**最短期間の定めはありません**。ただし、1年未満の期間を定めた場合は期間の定めがない契約とみなされます（定期建物賃貸借を除く）。また、50年を超える契約も認められます。期間を定めない契約も有効で、この場合、**賃貸人は**いつでも**解約の申入れをできますが、正当事由が必要**です。借家権の更新には当事者の合意に基づく**合意更新**と、法律の規定により同一の契約が存続する**法定更新**があります。

図1 借家権の対抗力

Aさんの借りている家を売却します

賃貸人（家主）

賃貸借契約

賃借人A（借主）

前から借りているのでこのまま住みます、出ていきません！

売却

第三者（新しい所有者）に賃借権を対抗できる

第三者

Aさん、新しい家主です。出ていってください！

家主が第三者に所有する家を売ったとき、借主は家主から建物の引渡しを受けていれば、借家権の登記がなくても第三者に対抗できます。

権利関係

表1 定期借地契約と定期建物賃貸借契約の要件と効果

定期借地契約	当初予定された契約期間が満了すると、必ず終了する借地権で、更新がない。一般定期借地権、事業用定期借地権、建物譲渡特約付借地権の3種類がある		
		一般定期	事業用定期	建物譲渡特約付
	❶期間	50年以上	10年以上50年未満	30年以上
	❷方式	書面による	公正証書による	口頭可
	❸目的	限定なし	事業用建物所有	限定なし
定期建物賃貸借契約	契約期間が経過すると、必ず終了する借家契約で、更新がない。契約には、説明書面と契約書面が別々に必要とされ、200㎡未満の居住用建物については、賃借人からの中途解約が認められている		

ワンポイントアドバイス

借家権については、引渡しのみで対抗力が認められるほかにも、造作買取請求権、有益費・必要費の償還請求権などの権利が認められています（それぞれ要件あり）。賃貸住宅に住んでいるけど、賃貸借契約書をちゃんと読んだことがないという人もいるのではないでしょうか。法律上、借家人にはどのような権利が認められているのかを知ったうえで契約書を読み返してみると、意外な発見があるかもしれませんよ。

不動産登記（不動産登記法）

不動産の物権変動があったときに、第三者への対抗要件となるのが「登記」です。登記の調査は宅建士の実務においてもきわめて重要です。ここでは登記簿を読み解くための不動産登記に関する基本的な事柄を説明します。

表示に関する登記と権利に関する登記

土地や建物といった不動産に関する情報は、法務局にある「登記簿」というものに記録されます。登記簿といっても現在は電子化されていて、実際に台帳は存在しません。**この登記簿は大きく分けて、不動産の物理的な状況を示した、表示に関する登記が記録される「表題部」、権利に関する登記が記録される「権利部（甲区、乙区）」で成り立っています。**表題部には、不動産の所在地、大きさ、構造（建物の場合）、地目（土地の場合）などが記録されています。これに対し、権利部の甲区には所有権に関する事項、例えば、誰が所有者でどのような理由で不動産を取得したのかといった内容が記録されています。乙区にはそれ以外の権利に関する事項、例えば、抵当権の設定がある場合に、その内容について記録されています。

どのような手続きが必要なの？

法務局に**登記を申請するためには、❶**登記の目的などの登記申請に必要な事項や登記申請人などを通知するための情報**（申請情報）**と、**❷**申請情報の内容を証明するための情報**（添付情報）の2種類の情報を提供することが必要です。**登記手続きは当事者の申請によるほか、官公署の嘱託（役所が依頼すること）または職権で行われることがあります。

登記を申請すべき当事者は？

登記を**申請すべき当事者は、❶表示に関する登記に関しては基本的には所有者**ですが、**❷権利に関する登記に関しては**登記権利者と登記義務者が**共同して申請します（共同申請主義）。**例えば、土地の売買による所有権移転登記をする場合は、その土地の買主が登記権利者、売主が登記義務者となります。

表1 権利に関する登記：甲区と乙区

権　利　部（甲区）（所有権に関する事項）			
順位番号	登記の目的	受付年月日・受付番号	権利者その他の事項
1	所有権保存	令和○○年○月○日 第○○○号	所有者　○市○町一丁目1番1号 　竹　田　一　郎
2	所有権移転	令和○○年○月○日 第○○○号	原因　令和○○年○月○日売買 所有者　○市○町一丁目5番5号 　山　本　五　郎

権　利　部（乙区）（所有権以外の権利に関する事項）			
順位番号	登記の目的	受付年月日・受付番号	権利者その他の事項
1	抵当権設定	令和○○年○月○日 第○○○号	原因　令和○○年○月○日金銭消費貸借同日設定 債権額　金5,000万円 利　息　年3.00％（年365日日割計算） 損害金　年14.5％（年365日日割計算） 債務者　○市○町一丁目5番5号 　山　本　五　郎 抵当権者　○市○町三丁目3番3号 　株式会社池袋銀行（取扱店　中央支店）

図1 共同申請主義

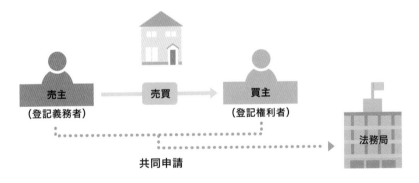

ワンポイントアドバイス

登記事項証明書・地図・建物所在図などの登記情報は、原則として利害関係の有無にかかわらず、誰でも手数料を支払えば交付を受けることができます。法務局の窓口以外に郵送やインターネットを利用して請求することもできます。登記事項を公示することが不動産取引の安全のために必要なことを考えれば当然ですね。
また、相続によって所有権を取得した人には、相続の登記が義務づけられています。

区分所有法

分譲マンションでは、1棟の建物を区分した住戸を所有する人がそれぞれ区分所有者となります。この区分所有者の権利や、マンションの建物や敷地の管理について定めている法律が、区分所有法です。

専有部分と共用部分

マンションの**専有部分とは**、1棟の建物のうち**構造上・利用上区分された建物の部分**で、居住している部屋のことです。**共用部分とは**、専有部分以外に**マンション居住者全員が使える部分**で、法定共用部分と規約共用部分があります。法定共用部分は玄関、廊下、階段などで、規約共用部分は規約で共用部分とした集会室や管理員室、駐車場などがあります。

規約

規約とは、マンション居住者間のルールのことです。建物、敷地、附属施設の管理や使用に関するルールは規約によって定められます。**規約の設定・変更・廃止**は、区分所有者の集会で**区分所有者および議決権の各4分の3以上の多数により決定**します。規約の効力は、区分所有者全員に生ずるだけでなく、区分所有権を譲り受けた者や専有部分を借りている者にも及びます。

集会

管理者は少なくとも毎年1回集会を招集しなければなりません。集会の招集通知は、原則として会日より1週間前に会議の目的事項を示して、各区分所有者に発しなければなりません。**各区分所有者の議決権**は規約に定めがない限り、各区分所有者の**専有部分の床面積の割合によります**。集会の決議は、原則として区分所有者および議決権の各過半数で決定しますが、区分所有者の利害に重要な影響を及ぼす事項は、集会の特別決議を要します。

図1 マンションの専有部分と共用部分

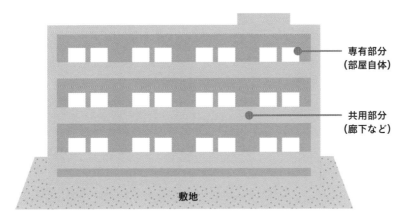

専有部分
(部屋自体)

共用部分
(廊下など)

敷地

■ 特別決議事項

区分所有者および議決権の各3/4以上の多数による集会の決議が必要な事項

❶ 規約の設定・変更・廃止
❷ 共用部分の重大変更(ただし、その形状または効用の著しい変更を伴わない
   ものを除く)
❸ 管理組合法人の設立・解散
❹ 義務違反者に対する専有部分の使用禁止の請求および区分所有権の
   競売請求
❺ 義務違反者の占有者に対する引渡し請求の訴え
❻ 大規模減失(建物価格の1/2を超える滅失)の場合の復旧

区分所有者および議決権の各4/5以上の多数による集会の決議が必要な事項
● 建替え決議

┃ ワンポイントアドバイス

専有部分を所有するための建物の敷地に関する権利のことを敷地利用権
といいます。区分所有者は規約で特別の定めがない限り、その専有部分と
その専有部分にかかる敷地利用権とを分離して処分することはできませ
ん。また、共用部分の共有持分は、区分所有法に別段の定めがあるときを
除いて、専有部分と分離して処分することができず、専有部分が処分(売
却など)されれば、その区分所有者の共有持分もそれとともに移転します。

ゼロから宅建士 4コマ劇場

③ 試験直前編

そりゃ誰だって試験直前になるとドキドキするし、試験会場に入った瞬間、「みんな自分より勉強してきたにちがいない」と思うかもしれない。でもだいじょうぶ。みんな同じさ。だから試験直前までやるだけやって、試験当日は自分なりに受験すればオッケーさ。

税・その他

不動産を売買するとかかる、不動産取得税や固定資産税といった税金、
その他、土地の価格を公示する地価公示制度、
悪質な不動産広告を防ぐための景品表示法などから
あわせて8題出題されます。

税・そ・の・他

1

税金

不動産を取得したり保有したりすると、税金がかかります。国に納める国税と、地方公共団体に納める地方税とがあります。「印紙税」「登録免許税」「所得税（譲渡所得）」は国税で、「不動産取得税」「固定資産税」は地方税です。

POINT 1

印紙税（国税）

印紙税は**課税文書を作成した場合に課せられる税金**です。不動産取引では、契約書や領収書が作成されます。その作成された契約書や領収書などの文書に対しては、その作成者に印紙税が課されることになります。不動産の課税文書の代表例として、「不動産売買契約書」があります。また、「仮契約書」や「変更契約書」も課税文書になります。

POINT 2

不動産取得税（地方税）

不動産取得税は、不動産の取得に対し、その不動産の所在する**都道府県が、その不動産の取得者に課する都道府県税**です。不動産取得税は、土地または建物といった不動産の取得に対して課され、取得とは、有償・無償を問わず、不動産の所有権を現実に取得することをいいます。納税義務者は、不動産を取得した者ですから、ただでもらう贈与で不動産を取得しても課税されます。

POINT 3

固定資産税（地方税）

固定資産税は、毎年1月1日に所在する**固定資産（土地・家屋・償却資産）に対し、**固定資産の所在地の**市町村が課する市町村税（普通税）**です。償却資産とは、土地・家屋以外の事業資産のことです。納税義務者は、固定資産の所有者で、土地・建物登記簿などに所有者として登記されている者です。

図1 不動産をめぐる税金のイメージ

AがBに家を売ると、次のような税金が発生します。

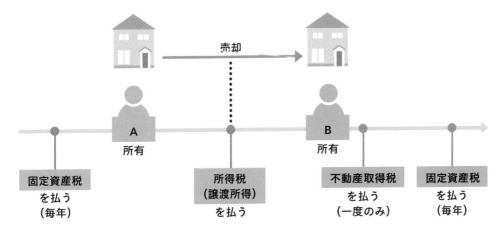

●不動産売買契約書作成時
A、Bともに
　印紙税 を払う

●移転登記時
A、Bともに
　登録免許税 を払う

表1 不動産取得税と固定資産税の免税点

一定額未満には税金はかかりません。

不動産取得税			固定資産税	
土地の取得	10万円未満		土地	30万円未満
家屋の取得	新築、増築、改築	23万円未満	家屋	20万円未満
	売買、交換などによる取得	12万円未満		

ワンポイントアドバイス

税法の勉強は専門的な言葉が出てきて難しく感じるかもしれませんが、「誰が何に対してどんな額をもとに課税するのか」を理解できれば、勉強がとても楽になりますよ。税金を下げるための特例についても試験でよく問われますが、まずは、課税標準(税額を算出するときに元となるもの)の特例、軽減税率の特例、税額控除の特例の3つを理解しましょう。

149

税・そ・の・他

2 不動産鑑定評価と地価公示

不動産鑑定評価とは、不動産の経済価値を不動産鑑定士が良心に従い、公正で客観的な金額で評価することをいいます。地価公示とは、適正な土地取引を行うために標準地を選定し、その正常な価格を、年に1回公示する制度です。

POINT 1 不動産鑑定評価基準とは？

不動産鑑定士が不動産の鑑定評価を行うにあたり、よりどころとすべき基準が不動産鑑定評価基準（以下「基準」といいます）です。不動産の鑑定評価は、❶不動産鑑定士という資格者が、❷基準に基づいて、合理的な市場の代行機能として行うものです。この2つの要素を満たしていない価格の評価は不動産鑑定評価とはいえません。つまり、基準は**適正な鑑定評価をするために準拠すべきルール**なのです。

POINT 2 価格の種類と鑑定評価の手法

鑑定評価で求める価格は原則として正常価格ですが、**例外として、限定価格や特定価格または特殊価格**を求めることがあります。また、鑑定評価の手法には、❶不動産の費用性に着目した原価法、❷市場性に着目した取引事例比較法、❸収益性に着目した収益還元法があります。

POINT 3 地価公示制度とは

国土交通省に置かれる**土地鑑定委員会**が、公示区域内に標準地を選定し、**毎年1月1日を基準日**として2人以上の不動産鑑定士に鑑定評価を求め、必要な調整を行ってその**標準地の価格を公示する**制度です。その効力については右ページ「公示価格の効力」を参照してください。

図1 価格の鑑定評価

不動産鑑定士

基準に基づき手法を併用して行います。
➡原価法
➡取引事例比較法
➡収益還元法

図2 最有効使用の原則

不動産の価格に関する諸原則の中で、鑑定評価上最も重要な原則
➡不動産の価格は、その不動産の効用が最高度に発揮される可能性に最も富む使用（最有効使用）を
　前提として把握される価格を標準として形成されます。

例 現況が工場地であっても、最有効使用が高層共同住宅地ならその使用を前提として鑑定評価を行います。

現況は工場地

最有効使用を
前提として

高層共同住宅地として鑑定評価

■ 公示価格の効力

❶公示区域内の土地について、
・鑑定評価
・公共事業用地の任意買収
・公共事業用地の土地収用
上記の場合に、公示価格を規準としなければなりません。
❷都市およびその周辺において土地取引をする者は、
公示価格を指標として取引を行うよう努力する義務があります。

ワンポイントアドバイス

鑑定評価については不動産の価格形成要因（価格を左右する要因のこと）
や、価格の種類、鑑定評価の方式（手法）について押さえましょう。地価公
示については毎年3月下旬に官報に公示されますが、国土交通省ホーム
ページの土地総合情報システムからも閲覧できます。

税・その他

税・その・他

3

景品表示法

景品表示法では、誤った表記の広告を見て消費者が損害を受けないよう、広告表示について規制を加えています。また、不動産独自の広告表記のルールについては、「不動産の表示に関する公正競争規約」で定められています。

POINT 1

広告における表示基準例
消費者に誤解を与えないために

❶**新設予定の駅等**またはバスの停留所は、その路線の運行主体（鉄道会社など）が公表したものに限ります。

❷**徒歩による所要時間**（○○駅から5分など）は、道路距離80mにつき1分として算出した数値を表示し、1分未満の端数が生じたときは1分として表示します。

❸**新築とは建築工事完了後1年未満であって居住の用に供されたことがない もの**に限ります。

❹**住宅の居室等の広さを畳数で表示する場合、畳1枚分の広さは1.62㎡**以上の広さがあるという意味で用います。

POINT 2

特定事項の明示義務例
マイナス情報でも明示する

❶**セットバック**（P85参照）**を要する部分を含む土地**はその旨と、面積がおおむね10％以上であればあわせて面積も明示。

❷**高圧電線路線下にある土地**はその旨と、おおむねの面積を明示。

❸**路地状敷地**は、路地状部分がおおむね30％以上であれば、その割合か面積を明示。

❹**傾斜地を含む土地**は、傾斜部分がおおむね30％以上であれば、その割合か面積を明示。

POINT 3

価格についての表記方法

土地は一区画当たり、住宅やマンションは一戸当たりの価格を表示します。もし、**分譲住宅で、すべての住戸の価格帯を表示するのが困難なときは、最低価格と最高価格、最多価格帯とその価格帯に属する戸数で表示できます。**販売戸数が10未満であれば、最多価格帯の表示は省略可能です。

図1 広告チラシ

物件のチラシでは、立地条件や間取り、価格が大きく書かれています。なかには、○○プレゼントとうたっているものもありますが、景品額には規制がありますので注意が必要です。

図2 おとり広告

チラシやインターネットでよさそうな物件を見つけても、不動産屋に行ってみたら、実は成約済みだった！ なんてことも。
このように、お客さんを呼び込むために成約済みの物件をずっと広告しておくことなどを「おとり広告」といいます。

税・その他

ワンポイントアドバイス

不動産広告については❶宅地建物取引業法による規制、❷不当景品類及び不当表示防止法（景品表示法）による規制があります。景品表示法は、取引全般を対象とする一般的な法律なので、不動産広告に関する詳細な制限は規定されていないのです。不動産広告に関する具体的な規定は、不動産業界の自主規制ルールである「公正競争規約」に定められています。

税・その他
4

住宅金融支援機構

独立行政法人住宅金融支援機構は、住宅ローン債権の証券化支援業務を主として行う組織です(以下「機構」といいます)。機構では、そのほかにも、融資保険業務、直接融資業務、団体信用保険業務を行っています。

POINT **1**

証券化支援業務 (買取型)

民間金融機関が安心して長期固定金利の住宅ローンを提供できるよう、住宅ローン債権を証券化し、投資家に投資してもらう業務が買取型の証券化支援業務です。証券化とは、機構が民間金融機関から買い取った住宅ローン債権を担保として、投資家に債券(有価証券の一種)を発行することです。この業務で利用される長期固定の住宅ローンがフラット35です。銀行以外の金融機関の債権も買い取り対象です。住宅ローン債権の償還(返済)方法には、❶元利均等方式と、❷元金均等方式があります。

POINT **2**

証券化支援業務 (保証型)

民間金融機関の**住宅ローン利用者が債務不履行に陥った場合、機構が金融機関に保険金を支払うこと**が保証型の証券化支援業務です。民間金融機関の長期固定金利の住宅ローンに対して保険を付け、それを担保として発行された債権等について、期日どおりの元利払いを保証します。保証型の場合、証券の発行等は民間の信託会社等が行い、機構が住宅ローン債権を買い取るのではなく保証のみを行います。

POINT **3**

直接融資業務

POINT1、2のような証券化支援業務が中心ですが、その他に災害復興融資、財形住宅融資、子育て世帯向け・高齢者世帯向け賃貸住宅融資など、**民間金融機関では融資が困難なものについて、直接融資業務を行っています。**

図1 証券化支援業務・買取型

機構が発行する債券は住宅ローンを担保としたいわゆる資産担保証券です。

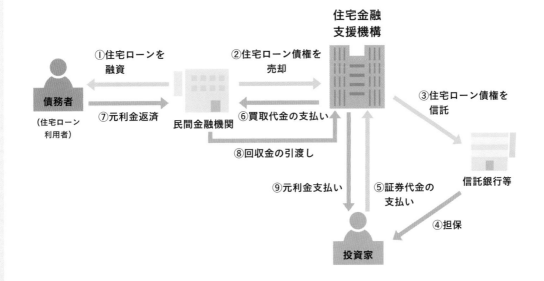

■ 直接融資業務の対象

❶災害復興建築物の建設・購入、被災建築物の補修
❷災害予防代替建築物の建設・購入、災害予防移転建築物の移転、災害予防関連
工事の費用、住宅の耐震改修
❸合理的土地利用建築物の建設・購入、マンションの共用部分の改良
❹子育て世帯向け、高齢者世帯向けに適した良好な居住性能および居住環境を
有する賃貸住宅の建設・改良
❺高齢者の家庭に適した良好な居住性能および居住環境を有する住宅の改良
❻財形住宅貸付業務など

税・その他

▌ワンポイントアドバイス

フラット35は長期固定金利なので金融機関にとっては負担が重く、リスクも
あります。そんなリスクを解消するために機構が生まれました。現在は、省エ
ネルギー性、耐震性、バリアフリー性、耐久性・可変性などに優れた住宅の借入
金利が一定期間優遇される優良住宅取得支援制度(フラット35S)もあります。

税・その・他

5 土地・建物

民法の定義によれば、不動産とは「土地」と、建物などの「土地の定着物」となります。また、日本の国土面積は約3,780万haですが、宅地となっているのは国土面積の約5％程度にすぎません。

日本の国土（土地）の利用状況

日本の土地がどのように利用されているのかは、以下のとおりです。**森林と農地で全国土面積の約8割**を占めています。

❶ 森林や農地：77.8％（約2,940ha）
❷ 宅地：5.2％（約197万ha）
❸ 道路、水面、河川、水路、原野、その他：16.9％（約642万ha）

＊令和6年版土地白書（国土交通省）より

国土を地形別に大別してみると

日本の土地を地形別に大別してみると、山地（山地、火山、山麓、火山麓、丘陵）が約75％を占めていて、平地（台地、段丘、低地）は約25％となっています。
なお、人が住むことのできる土地（可住地）は国土のおよそ30％となっています。

建築物とは土地に定着する工作物で屋根・壁・柱があるもの

建築基準法では、建築物を**「土地に定着する工作物のうち、屋根および柱もしくは壁を有するもの」**と定義しています。材料や建築工法の違いにより「木造」「鉄骨造」「鉄筋コンクリート造」「鉄骨鉄筋コンクリート造」などに分類できます。

図1 宅地に向いている土地

● 台地や丘陵地は、自然災害に対する安全度は高いです。

● 低地は一般的に地震や洪水に対して弱く、宅地として好ましくありません。

＊台地・丘陵地
一般的に水はけもよく、地盤も安定しており、洪水や地震などの自然災害に対する安全度も高く、
宅地として積極的に利用することができる地形

台地・丘陵地　　　　　　　　　　　　　　　　　　低地

図2 低地

地震や洪水などの自然災害に対して弱く、宅地としては不向きです。

特に災害の危険度が高い地形の例
● 河川の河口付近に広がる標高の低いデルタ地域(三角州)
● 旧河道(過去に河川の流路だったところ)

デルタ地域

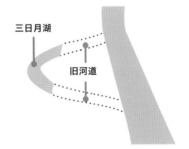

三日月湖

旧河道

ワンポイントアドバイス

一般的に、低地は自然災害に弱く宅地として不向きといえますが、現実
問題として、日本の都市の大部分は低地に広がっており、住宅地などと
しての利用が多く見られます。

おわりに

『ゼロから宅建士 スタートブック』いかがでしたでしょうか。宅建士試験の概要、資格の使い道、出題内容などご理解いただけたと思います。この後は、合格に向けてより本格的な勉強に進むことになります。まずはテキストの選択です。宅建士試験のテキストはたくさんありますが、評判のいい本の中から自分に合う1冊を選んでください。この『ゼロから宅建士 スタートブック』で勉強した皆さんなら、スムーズに本格的な勉強に入っていけるはずです。

　テキストで知識をつけたら過去問を解きましょう。過去問題集を買ってきてチャレンジしてください。過去問が自信をもって解けるようになれば合格は目の前です。「過去問と同じ問題は出題されないかもしれないけれど、過去問と同じような問題しか出題されない」、それが国家試験ですから。

　とはいえ、勉強は長丁場になります。つらくなったら本書を読み返して、宅建士試験に合格しようと決意したときのことを思い出してください。初心に返ることも必要です。そのときには、この『ゼロから宅建士 スタートブック』が皆さんを勇気づけてくれるはずです。

　皆さんが宅建士試験に合格し、仕事や専門分野の勉強などさまざまな分野でご活躍されることをお祈りしております。

2024年10月

執筆者一同

先生たちから
ひとこと

The first step is always the hardest. 何ごともスタートを切ることが難しいのです。始めてしまえば、半分終わったも同じです。頑張りましょう！

宅建士試験に合格したら人生が変わります。どう変わるかは人それぞれですが、就職が決まる人、独立開業をする人、さらなるスキルアップを目指して別の資格にチャレンジする人など、この宅建士試験合格が自信につながり人生を変えるのです。さあ、なりたい自分になろう！

試験勉強は、できそうなところ、好きなところから順番に固めていくのがおススメです。苦手なところの克服には時間がかかります。好きなところからサクサク進めましょう！

編著者／明海大学 不動産学部

平成4(1992)年に、日本で初めての不動産学部として明海大学に設置される。以来、日本を代表する不動産学のパイオニアとして、多くのスペシャリストを輩出してきた。不動産学科では、不動産の流通・金融・開発・投資・経営・管理にかかわる実践的な知識を総合的に学ぶことができ、現場の第一線で活躍している指導教員が多いのが特徴。実社会で役立つ知識やスキルを身につけられる授業内容に定評がある。宅地建物取引士などの資格取得のサポートも充実させている。

明海大学ホームページ：**https://www.meikai.ac.jp**
明海大学不動産学部ホームページ：**https://meikai-re.jp**

表紙・本文デザイン・DTP／(株)ローヤル企画
イラスト／小林孝文(アッズーロ)
撮影／鈴木江実子

■本書へのお問い合わせ

本書の記述に関するご質問等は、文書にて下記あて先にお寄せください。お寄せいただきましたご質問等への回答は、若干のお時間をいただく場合もございますので、予めご了承ください。また、お電話でのお問い合わせはお受けいたしかねます。

なお、当編集部におきましては記述内容をこえるご質問への回答および受験指導等は行っておりません。何卒ご了承のほどお願いいたします。

【郵送先】　〒171-0014 東京都豊島区池袋2-38-1-3F
　　　　　　(株)住宅新報出版 出版部
【ＦＡＸ】　(03)5992-5253

本書は2024年9月1日現在の法令に基づき編集されています。宅建士試験は、その年の法令適用日(例年4月1日)に施行されている法令に基づき出題されます。本書に掲載している法令等が、2025年4月1日までに改正・施行され、本書の内容に修正等を要する場合には、当社ウェブサイトにてお知らせいたします(正誤に関する情報も同様です)。

https://www.jssbook.com/

＊情報の公開は2026年版発行までとさせていただきます。

2025年版 ゼロから宅建士 スタートブック

2017年5月26日　初版発行
2024年10月22日　2025年版発行

編著者　明海大学 不動産学部
発行者　馬場栄一
発行所　(株)住宅新報出版

〒171-0014 東京都豊島区池袋2-38-1-3F　　　☎(03)6388-0052

印刷・製本／シナノ印刷(株)
乱丁・落丁本はお取り替えいたします。

Printed in Japan
ISBN 978-4-910499-97-0 C2032